クイズで
わかる

韓国語
単語の
使い分け

コリ文語学堂教材開発チーム

著 チェ・スジン ホ・ユンギョン ソク・ジア

監修 キム・スノク

맞는 단어를 고르세요!

the japan times出版

は じ め に

　韓国語を学習する方々と接する中で気付いたことがあります。熱心に学習に取り組む姿勢に心を打たれることが多い一方で、一定のレベル以上に到達しているにもかかわらず、話し方にどこか不自然さが抜けきれないと感じられる場合があるのです。

　その原因の一つが、紛らわしいニュアンスの単語や表現の使い分けです。例えば辞書には예쁘다も깨끗하다も「きれいだ」と載っていますが、文脈によってふさわしい場面は異なります。

　そこで、学習者のみなさんがどんな単語や表現の使い分けで困っているかを知るために、コリ文語学堂の生徒さんと先生方に協力してもらい、具体例を収集しました。本書では、その結果に基づき厳選した120の単語や表現を紹介しています。レベル感は初中級ですが、簡単に思えるような基本の単語ほど応用範囲が広がるため、中上級者であっても混乱している場合があります。そのため、正しく使い分けを学ぶことは実用的で、多方面に立つ学習法だと考えています。

　本書を執筆するにあたって、楽しく分かりやすく学べるよう

にクイズや短く実用的な例文、コラムを盛り込みました。また、ご自身の理解度が確認できるように練習問題も加え、工夫を凝らしてあります。

　この本がみなさんの学習をより楽しく、効果的にサポートし、韓国語のさらなる段階への成長に役立つことを心から願っています。

著者一同

目 次

第 1 章　形容詞

感 情

時 間

状 態

第2章 動詞

感情

第 3 章 副詞

時間

表現

第 4 章 名詞

時間

日常

音声収録時間：約100分
ナレーション：イ・ミンジョン
録音・編集：ELEC録音スタジオ
装丁：chichols（チコルズ）
イラスト：若田紗希
DTP組版：秀文社

本書の構成と使い方

　本書は、日本語の意味は同じでも、韓国語ではニュアンスや用法が異なる単語や表現を120のテーマで取り上げています。全体は品詞別の4章で構成されており、各章内では主な用途・性質ごとにカテゴリー分けをしています。

　クイズや例文を通じてその違いを感じ、音声データも活用して、スラスラと言えるようになるまで声に出して練習しましょう。

❶テーマ

❷Quiz
日本語の文脈に合う韓国語を考えてみましょう。

❸解説
単語や表現のニュアンスを確認しよう。

❺もっと知りたい!
知識が深まるミニコラムです。

❻練習
理解できたか確認しましょう。

❹例文
音声を活用し、声に出して練習しましょう。

音声トラック番号

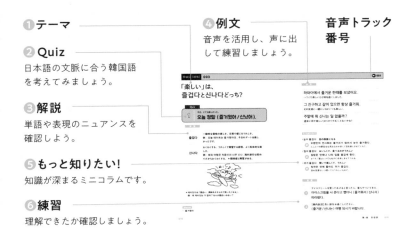

○ 〔〕 …場面の説明を表します。
○ （）…日本語訳／簡単な補足を表します。
○ 〔〕 …文脈・意味上の補足を表します。
○ 【】…漢字語の漢字を表します。
○ ＝…類義語を表します。
○ ⇔…反意語を表します。
○ 「解説」は、単語すべての意味ではなく、各テーマでの使い分けに必要な意味を優先して掲載しています。
○ 音声には、トラック番号の付いたページの「例文」「練習」の韓国語を収録しています。

音声のご利用案内

本書の音声は、スマートフォン（アプリ）やパソコンを通じてMP3形式でダウンロードし、ご利用いただくことができます。

📱 スマートフォン

1: ジャパンタイムズ出版の音声アプリ
   「OTO Navi」をインストール
2: OTO Naviで本書を検索
3: OTO Naviで音声をダウンロードし、再生

> 3秒早送り・早戻し、繰り返し再生などの
> 便利機能つき。学習にお役立てください。

🖥 パソコン

1: ブラウザからジャパンタイムズ出版のサイト「BOOK CLUB」
   にアクセス

https://bookclub.japantimes.co.jp/book/b643299.html

2: 「ダウンロード」ボタンをクリック
3: 音声をダウンロードし、iTunesなどに取り込んで再生

※音声はzipファイルを展開（解凍）してご利用ください。

第 1 章

形容詞

반갑다

ここでは［感情］や［状態］をはじめ、
［時間］［料理］［人］にまつわる単語を見ていきます。

「うれしい」は、
기쁘다と반갑다どっち?

1 プレゼントをもらってうれしい。
선물을 받아서 (기쁘다 / 반갑다).

2 会えてうれしい。
만나서 (기쁘다 / 반갑다).

解説

기쁘다	一般的な意味の「うれしい」。(⇔슬프다 悲しい) 例：합격해서 기쁘다 合格してうれしい 기쁜 소식 うれしい知らせ
반갑다	(会えて)うれしい。 例：만나서 반갑습니다. お会いできてうれしいです。 반가운 얼굴들 (久しぶりに) 会えてうれしい (懐かしい) 顔ぶれ

Answer
1. 기쁘다 2. 반갑다

例 文

좋은 선물을 받아서 기쁩니다.
良いプレゼントをもらってうれしいです。

프로포즈를 받고 무척 기뻤어요.
プロポーズを受けてとてもうれしかったです。

옆집 개는 나를 보면 반갑다고 꼬리를 흔들어요.
隣の家の犬は、私を見るとうれしそうにしっぽを振ります。

싸우고 헤어져서 만나도 반갑지 않을 것 같다.
けんか別れしたので会ってもうれしくなさそうだ。

もっと知りたい!

● 形容詞の語幹에아 / 어하다が付くと動詞になります。つまり、形容詞「기쁘다」の場合、「기뻐하다(喜ぶ)」が動詞です。同様に形容詞「반갑다」は、「반가워하다(うれしがる、喜ぶ)」が動詞になります。

練 習

1
同窓会でうれしい〔懐かしい〕友達に会いました。
동창회에서 (기쁜 / 반가운) 친구들을 만났어요.

2
私の名前を覚えてくれてうれしいです。
내 이름을 기억해 줘서 (기뻐요 / 반가워요).

3
今日のようなうれしい日にどうして泣くんですか。
오늘같이 (기쁜 / 반가운) 날에 왜 울어요?

「便利だ」は、
편리하다と편하다どっち?

1
交通アプリは便利だ。
교통 앱은 (편리하다 / 편하다).

2
交通アプリがあるので楽だ。
**교통 앱이 있어서 (편리하다 / 편
하다).**

解説

편리하다	【便利 -】便利だ。機能が使いやすい。手間がかからない。 例 : 시설이 편리하다 施設が便利だ　기능이 편리하다 機能が便利だ　사용이 편리하다 使いやすい
편하다	楽だ。主観的な感覚。ゆったりと快適で落ち着く。 例 : 옷이 참 편하다 服がとても楽だ

＊편리하다 / 편하다 ⇔ 불편하다 不便だ

Answer
1. 편리하다　2. 편하다

例　文

택배는 편리해서 자주 이용하고 있어요.

宅配便は便利なのでよく利用しています。

이 의자는 앉기 편하네요.

この椅子は座りやすいですね。

もっと知りたい!

● リラックスしている状態や心地がいい場合は「편안하다」を使います。

例　내 방을 편안하게 꾸미고 싶어요.

自分の部屋を快適に飾りたいです。

● 「불편하다」には「気まずい、きつい」という意味もあります。

例　처음 보는 사람하고도 불편하지 않아요.

初対面の人とでも気まずくありません。

옷이 작아서 불편해요.

服が小さくてきついです。

練　習

1　普段、家ではジャージが便利です〔楽です〕。

보통 집에서는 츄리닝이 (편리해요 / 편해요).

2　ポータブル扇風機は本当に便利ですね。

휴대용 선풍기는 정말 (편리하네요 / 편하네요).

「楽しい」は、
즐겁다と신나다どっち?

1 | 今日、とても楽しかった。
오늘 정말 (즐거웠어 / 신났어).

解　説

즐겁다	一般的な意味の楽しさ。日常で感じるうれしさ。 例：오늘 데이트는 즐거웠어요. 今日のデートは楽しかったです。
신나다	わくわくする。うれしくて興奮する感情。より具体的な楽しさ。 例：해외 여행은 처음이라서 너무 신나. 海外旅行は初めてだからわくわくする。 ＊期待感と興奮がある。

＊재미있다は「面白い、興味をそそられて笑いたくなる」。
例：뭐 재미있는 거 없어? 何か面白いのない？

1. 즐거웠어

하와이에서 즐거운 한때를 보냈어요.

ハワイで楽しいひと時を過ごしました。

그 친구하고 같이 있으면 항상 즐거워.

その友達と一緒にいるといつも楽しい。

주말에 뭐 신나는 일 없을까?

週末に何か楽しい(わくわくする)ことないかな?

● 눈이 즐겁다　目の保養になる

例　오랜만의 전시회는 볼거리가 많아서 눈이 즐거웠다.
久しぶりの展覧会は見るものが多くて目を楽しませてくれた。

● 입이 즐겁다　おいしくて、食べるのがうれしい

例　집밥은 언제나 나의 입을 즐겁게 한다.
おうちご飯はいつでも私の口を楽しませてくれる。

● 귀가 즐겁다　聞いて楽しくて、うれしい

例　칭찬은 언제 들어도 귀가 즐겁다.
褒め言葉はいつ聞いてもうれしいものだ。

アイスクリームを買ってあげると言ったら、喜んでついてきた。

① 아이스크림을 사 준다고 했더니 (즐거워서 / 신나서)
따라왔다.

[機内放送]良い旅をお過ごしください。

② (즐거운 / 신나는) 여행 되시기 바랍니다.

「つまらない」は、
재미없다と하찮다どっち？

Quiz

1 つまらないドラマ
（재미없는 / 하찮은）드라마

2 つまらない物
（재미없는 / 하찮은）물건

解説

재미없다	面白くない。興味がわかずつまらない。（⇔재미있다） 例：재미없는 농담 つまらない冗談 　　수업이 재미없다 授業がつまらない
하찮다	大したものではない。つまらない。くだらない。（=보잘 것없다, 별것 아니다） 例：하찮은 일 つまらないこと 　　하찮은 존재 つまらない存在

Answer
1. 재미없는　2. 하찮은

만화가 재미없어서 읽다가 그만뒀어요.

漫画がつまらなくて途中で読むのをやめました。

하찮은 일에 시간을 낭비하지 않기로 했다.

つまらないことに時間を浪費しないことにした。

남에게는 하찮게 보여도 저에게는 소중해요.

人にはつまらなくみえても私にとっては大事です。

●お土産を渡すときはこう言ってみましょう。

例

이거 별거 아니지만 받으세요.

これ、つまらない物ですが受け取ってください。

1
つまらないものでも役に立つ時がある。

(재미없는/하찮은) 물건이라도 도움이 될 때가 있다.

2
今週のコメディー番組はつまらなかったです。

이번 주 코미디 프로는 (재미없었어요/하찮았어요).

3
つまらないことに神経を使わないでください。

(재미없는/하찮은) 일에 신경쓰지 마세요.

「怖い」は、
무섭다と두렵다どっち?

Quiz

私の母はすごく怖い〔怖い人だ〕。

1 우리 엄마는 굉장히 (무섭다 / 두렵다).

解 説

무섭다	①（対象が）怖い。外見などが険しい。 例：곰이 무섭다 熊が怖い　무서운 도깨비 怖い鬼 　　무섭게 보다 怖い顔で見る　무서운 얼굴 険しい顔 ②恐ろしい。ひどい。 例：무서운 실력 怖い（ほどすごい）実力 　　비가 무섭게 오다 雨が怖く降る
두렵다	これから起こることに対して恐れている。 ＊ほとんどの場合「무섭다」に置き換えられる。 例：사고가 날까 두렵다 事故が起きるか怖い 　　두려워하지 말고 해 봐. 恐れないでやってみて。

＊ -아 / 어하다 を付けて무서워하다, 두려워하다にすると「怖がる」「恐れる」になる。

Answer　1. 무섭다(엄마가 무섭다 母が怖い。두렵다の場合は「母が何をするかすごく不安だ」の意味になる)

例　文

옆집 아저씨는 무섭게 생겼다.
隣の家のおじさんは怖い顔をしている。

어젯밤에는 무서운 꿈을 꾸었어요.
昨夜は怖い夢を見ました。

혼자 여행하는 건 처음이라서 두려워요. (무서워요○)
一人で旅するのは初めてなので、怖いです。

もっと知りたい！

● 「겁」（おじけ）も覚えておきましょう。

例　겁이 많다 怖がりだ　겁쟁이 怖がり　겁먹다 びびる
　　겁이 없다 物おじしない　겁내다 恐れる、怖がる

練　習

1　お化けはまったく怖くありません。
귀신은 하나도 안 (무서워요 / 두려워요).

2　海外の生活は楽しみだが、怖かったりもします。
외국 생활이 기대도 되지만 (무섭기도 / 두렵기도)
해요.

3　怖そうな顔をしているけど、本当に優しい人です。
얼굴은 (무서워 / 두려워) 보여도 진짜 착한 사람이
에요.

「ひどい」は、
心하다と너무하다と나쁘다どっち?

Quiz

1
頭痛がひどい。
두통이 (심하다 / 너무하다).

2
私の誕生日を忘れるなんて。ひどいよ!
내 생일을 잊어버리다니 , (심해 /
너무해)!

解説

심하다	【深-】状況や状態の程度がひどい。甚だしい。激しい。 例：심한 장난 ひどいいたずら　착각이 심하다 勘違い が甚だしい　피해가 심하다 被害が激しい　변덕이 심하 다 気まぐれだ（気まぐれが甚だしい）
너무하다	ひどくてあんまりだ。やりすぎだ。＊主に会話で相手の やりすぎた言動を非難する時に使う。 例：너무하세요 . あんまりです。너무하잖아 . ひどい じゃないか。
나쁘다	ひどく悪い。 例：나쁜 소문 ひどいうわさ　나쁜 결과 ひどい結果 나쁜 여자 ひどい女

Answer
1. 심하다　2. 너무해

例文

요통이 심해서 움직일 수 없어요.
腰痛がひどくて動けません。

면접 때는 노출이 심한 옷은 피해야 합니다.
面接の時は、露出がひどい服は避けなければなりません。

그건 좀 너무하지 않아요?
それはちょっとやりすぎじゃありませんか。

그 정도 일로 사원을 해고하다니, 나쁜 사장이다.
それくらいのことで社員を解雇するなんて、ひどい社長だ。

練習

① 私を置いて行くなんて、ひどいわ。
나를 두고 가다니, (심하네 / 너무하네).

② 痛みがひどい時は鎮痛剤を飲んでください。
통증이 (심할 / 너무할) 때는 진통제를 드세요.

③ 方言がひどくて分かりづらいです。
사투리가 (심해서 / 너무해서) 알아듣기 힘들어요.

「恥ずかしい」は、
창피하다と부끄럽다どっち?

発表の途中ミスをして恥ずかしい。

1 발표 도중에 실수를 해서 (창피하다 / 부끄럽다).

解説

창피하다	自分の行動や言動に対する恥ずかしさ。 （=민망하다 / 무안하다 きまりが悪い） 例：넘어졌는데 너무 창피했어요. 転んでとても恥ずかしかったです。
부끄럽다	他人と対面したり、他人の視線に対する不安や萎縮感。 （=수줍다 照れくさい） 例：부끄러울 때는 얼굴이 빨개져요. 恥ずかしい時は顔が赤くなります。

Answer
1. 창피하다

친구들 앞에서 선생님께 혼나서 너무 창피했다.

友達の前で先生に怒られてとても恥ずかしかった。

오늘 옷차림이 좀 어색해. 창피해서 집에 가고 싶어.

今日は服装が少し不慣れだ。恥ずかしくて家に帰りたい。

부끄러워서 이름도 못 물어봤어요.

恥ずかしくて名前も聞けませんでした。

- 「창피하다 / 민망하다」のカジュアルな表現に「쪽팔리다」があります。主に友達同士で使うか、独り言で使うことが多いです。

> 例　쪽팔려서 얼굴을 들 수가 없어!
> 恥ずかしくて顔を上げられない!

先生の質問に答えられなかったので、とても恥ずかしかった。

1 선생님 질문에 대답을 못 해서 너무 (창피했다 / 부끄러웠다).

初めて会う人とは恥ずかしくてよく話せません。

2 처음 보는 사람하고는 (창피해서 / 부끄러워서) 말을 잘 못해요.

「紛らわしい」は、
혼란스럽다と헷갈리다どっち?

Quiz

1 発音が紛らわしい。
발음이 (혼란스럽다 / 헷갈리다).

解説

혼란스럽다	【混乱-】混乱している。秩序がない。 例：혼란스러운 세상 混乱した世の中 금융 시장이 혼란스럽다. 金融市場が混乱している。
헷갈리다	(- 이 / 가) こんがらがる。紛らわしい。 (=혼동하다 混同する) 例：정신이 헷갈리다 頭がこんがらがる 길이 헷갈리다 道がこんがらがる 헷갈리는 문제 紛らわしい問題 ＊「이름을 헷갈리다(名前を間違える)」のように助詞 「을 / 를」を使う場合は「〜を間違える」の意味になる。

Answer

1. 헷갈리다

例 文

사회가 혼란스러울 때는 가짜 뉴스가 많아져요.

社会が混乱している時はフェイクニュースが増えます。

질서를 지키지 않는 사람들 때문에 혼란스러웠어요.

秩序を守らない人たちのせいで混乱していました。

이 글자는 헷갈리는 한자라서 자주 틀려요.

この文字は紛らわしい漢字だからよく間違えます。

두 배우의 얼굴이 비슷해서 항상 헷갈려요.

二人の俳優の顔が似ていて、いつもこんがらがります。

練 習

1

交通事故で道路が混乱しています。

교통 사고로 도로가 (혼란스러워요 / 헷갈려요).

2

双子なので、誰が誰だかこんがらがります。

쌍둥이라서 누가 누구인지 (혼란스러워요 / 헷갈려요).

3

紛らわしい単語を集めて整理しました。

(혼란스러운 / 헷갈리는) 단어를 모아서 정리했어요.

「残念だ」は、아쉽다と
안타깝다と서운하다どっち?

1
病気だなんて、残念だ。
아프다니 (아쉽다 / 안타깝다).

2
〔私が〕行けなくなって残念だ。
못 가게 돼서 (아쉽다 / 안타깝다).

解 説

아쉽다	物足りない。惜しい。心残りだ。 例：설명이 아쉽다 説明が物足りない　아쉽게 지다 惜しくも負ける　　생각보다 결과가 나빠서 아쉽다 思ったより結果が悪くて残念だ
안타깝다	気の毒だ。思うようにならず残念だ。 ＊相手に対する感情であることが多い。 例：일이 잘 안돼서 안타깝다 仕事がうまくいかなくて残念だ　그의 상태가 안타깝다 彼の状態が気の毒だ
서운하다	名残惜しい。寂しい。(＝섭섭하다) ＊他人の行動が自分の期待に及んでいない場合。 例：기다렸는데 오지 않아서 서운하다 待っていたけれど来なくて残念だ

Answer 1. 안타깝다　2. 아쉽다

例文 ［一生懸命に準備したのに公演がキャンセルになって］

공연을 못 하게 돼서 아쉬워요.

(もう少しでできるはずだった)公演ができなくて残念です。

모두들 열심히 준비했는데, 안타까워요.

(劇団の)みんな(が)頑張っていたのに、残念です。

여러분하고 공연도 못 하고 헤어져서 서운해요.

みなさんと公演もできず別れて残念です。

練 習

1　〔そばにいてほしかったが〕ここに彼がいなくて残念です。
　　그가 여기 없어서 (아쉬워요 / 안타까워요).

2　まだ新しいものなのに、なくして残念だ。
　　아직 새것인데 잃어버려서 (아쉽다 / 안타깝다).

3　私があげたものをなくしたそうで、残念でした。
　　내가 준 물건을 잃어버렸다고 해서 (서운했어요 / 아쉬웠어요).

4　残念ながら〔気の毒だが〕彼は夢をかなえられなかった。
　　(안타깝게도 / 서운하게도) 그는 꿈을 이루지 못했다.

「寂しい」の외롭다と
쓸쓸하다는、どう違う？

Quiz

1 雨の音が寂しい。
빗소리가 (외롭다 / 쓸쓸하다).

2 彼はとても寂しがり屋です。
그는 (외로움 / 쓸쓸함)을 많이 타
요.

解説

외롭다	一人ぼっちだ。身寄りがない。(=고독하다【孤独ー】) 例：외로운 인생 寂しい人生　외로움을 타다 寂しがり屋だ　혼자 외롭게 살다 一人で寂しく暮らす　외로운 싸움 孤独な戦い
쓸쓸하다	一般的な意味の「寂しい」。人の気配がない。 ＊-이/가 쓸쓸하다の形で使う。 例：마음이 쓸쓸하다 心が寂しい　집안이 쓸쓸하다 家の中が寂しい　쓸쓸한 밤거리 寂しい夜道

Answer
1. 쓸쓸하다　2. 외로움

例 文

외로운 사람들이 모일 수 있는 곳이 필요합니다.
孤独な人々が集まることができる場所が必要です。

외롭고 쓸쓸할 때는 그 사람을 생각해요.
孤独で寂しい時はその人を思います。

고양이들이 있으니까 외로워도 쓸쓸하지 않아요.
ネコたちがいるので、一人ぼっちでも寂しくないです。

もっと知りたい!

● 「허전하다」は今まであったものがなくなって寂しい場合に使います。

例　입이 허전하다 口が寂しい(何か食べたい)
　　옆구리가 허전하다 脇腹が寂しい(恋人がいない)

● 「懐が寂しい」は「돈이 없다」と表します。

練 習

寂しくても自由な一人旅行が好きです。
① (외로워도 / 쓸쓸해도) 자유로우니까 혼자하는 여행
이 좋아요.

あなたがいるのでもう家が寂しくない。
② 네가 있어서 이제 집이 (외롭지 / 쓸쓸하지) 않다.

寂しい歌を聞きながら、夕焼けを眺めます。
③ (외로운 / 쓸쓸한) 노래를 들으면서 저녁노을을 바라
봅니다.

「悔しい」は、속상하다と 분하다と억울하다どっち?

成績が悪くて悔しい。

1 성적이 나빠서 (속상하다 / 억울하 다).

詐欺師に騙されて悔しい。

2 사기꾼에게 속아서 (분하다 / 억울 하다).

解 説

속상하다	【-傷-】物事がうまくいかなくてつらい。心配で心が痛む。 ＊原因は自分側にある場合が多い。 例：뜻대로 되지 않아서 속상하다 思い通りに行かなくてつらい
분하다	【憤-】悔しくて腹が立つ（やり返したくなる怒り）。 ＊原因は他人にある場合が多い。 例：배신당한 것이 분하다 裏切られて悔しい
억울하다	【抑鬱-】間違いを犯してないのに誤解されたり罰を受けたりしてやりきれない。無念だ。 例：누명을 써서 억울하다 ぬれぎぬを着せられて悔しい

Answer

1. 속상하다　2. 분하다

콘서트 티켓을 못 사서 속상해요.

コンサートのチケットを買えなくて悔しいです。

아이가 다치면 엄마는 너무 속상하지요.

子供がけがしたらお母さんはとても悔しい(悲しい)ですよ。

상사에게 내 기획안을 빼앗긴 것이 분해요.

上司に私の企画案を取られたのが悔しいです。

나는 훔치지 않았는데 의심을 받아서 억울했어요.

私は盗んでないのに疑われて悔しかったです。

訳もなく殴られたことが悔しくて腹が立ちます。

1 이유도 없이 맞은 것이 (속상해서 / 분해서) 화가 나
요.

楽しみにしていた旅行がキャンセルになって悲しいです。

2 기대했던 여행이 취소돼서 (속상해요 / 억울해요).

私は犯人ではありません。無念です。

3 저는 범인이 아닙니다. (속상합니다 / 억울합니다).

「良かった」は、
좋았다ではない?

1

就職しました。
취직했어요.
—良かった。本当におめでとうございます。
― (좋았다 / 잘됐다 / 다행이다)!
정말 축하해요.

解説

좋았다	好みだった。良かった。 例：어제 본 영화가 좋았다. 昨日見た映画が良かった。
잘됐다	事柄が好ましい結果になった。 ＊主に単独で使う感動詞。 例：잘됐다! 良かった!　잘했다! よくやった!
다행이다	幸いだ。〜でよかった。 ＊아 / 어서 다행이다の形でよく使う。 例：크게 안 다쳐서 다행이다 軽いけがで済んでよかった 불행 중 다행 不幸中の幸い

Answer 1. 잘됐다!（物事がうまく進んで「よかった」の意。다행이다の場合は「今までの苦労が終わってよかった」）

불꽃놀이를 구경했는데, 진짜 좋았어요.

花火を見ましたが、本当に良かったです。

하고 싶은 일을 하게 되셨군요. 참 잘됐어요.

やりたかった仕事をするようになりましたね。本当に良かったです。

지갑을 잃어버렸는데, 찾아서 다행이에요.

財布をなくしていたけど、見つかって良かったです。

● 次の2つの文型も覚えておきましょう。

- 길 (기를) 잘했다 / - 지 말 걸 (것을) 그랬다

例 미리 사길 잘했다 . 早めに買ってよかった。

사지 말 걸 그랬다 . 買わなければよかった。

今回、温泉に行って来ましたが、本当に〔お湯が〕良かったです。

1 이번에 온천에 다녀왔는데 참 (좋았어요 / 잘됐어
요 / 다행이에요).

金メダルを取りましたって？ とても良かったですね。

2 금메달을 땄다고요? 정말 (좋았네요 / 잘됐네요 / 다
행이네요).

事故の知らせで心配したが、みんな無事で良かった。

3 사고 소식에 걱정했는데, 모두 무사해서 (좋았다 / 잘
됐다 / 다행이다).

「苦手だ」は、
싫다と서투르다どっち?

Quiz

1 | あの人が苦手だ。
그 사람이 (싫다 / 서투르다).

解説

싫다	①嫌だ。〜したくない。 例：추운 게 싫다 寒いのが嫌いだ 보기 싫다 見たくない ②（人が）苦手だ。（＝〜이 / 가 어렵다 近寄りがたい） 例：싫은 선배 / 어려운 선배 苦手な先輩 ③（服や雰囲気が）苦手だ。（＝거북하다 楽ではない） 例：싫은 옷 / 거북한 옷 苦手な服
서투르다	下手だ。 （＝서툴다, 〜을 / 를 잘 못하다, 〜을 / 를 잘 못…） 例：노래가 서투르다（＝노래를 잘 못하다）歌が苦手だ 그림이 서툴다（＝그림을 잘 못 그리다）絵が下手だ

＊잘 못 +〈動詞〉苦手だ
例：공포 영화를 잘 못 보다 ホラー映画が苦手だ
매운 것을 잘 못 먹다 辛いものが苦手だ

Answer

1. 싫다(遠回しに言う場合はその 사람이 어렵다)

저는 높은 곳이 싫어요.

私は高い所は苦手です。

사장님은 어려운데 사모님은 편해요.

社長は苦手だけど、奥様は話しやすいです。

집안일은 서투르지만 싫어하지는 않아요.

家事は苦手だけど、嫌いではありません。

먹는 건 (것은) 좋아하는데 요리는 잘 못해요.

食べるのは好きですが、料理は苦手です。

아침에 잘 못 일어나요.

朝が苦手です(朝早く起きられません)。

1
カレーライスの中のニンジンは苦手です。
카레라이스에 들어 있는 당근이 (싫어요 / 서툴러요).

2
韓国語はまだ苦手ですが、頑張ります。
한국어가 아직 (싫지만 / 서툴지만) 열심히 하겠습니다.

3
あの色の服は苦手です。
그 색깔의 옷은 (싫어요 / 서툴러요).

「遅い」は、
늦다と느리다どっち?

Quiz

1 パソコンが遅い。
컴퓨터가 (늦다 / 느리다).

2 遅くに電話する。
(늦게 / 느리게) 전화하다.

解説

늦다	〈形容詞〉遅い。間に合わない。 〈動詞〉遅れる。 例：늦은 시간 遅い時間 후회해도 늦다 後悔しても遅い 늦어서 미안해요. 遅れてごめんなさい。
느리다	速度が遅い。鈍い。 例：일이 느리다 仕事が遅い 느린 음악 テンポがスローな音楽 말이 느리다 話し方が遅い（のろい）

Answer
1. 느리다　2. 늦게

일이 많아서 요즘 퇴근 시간이 늦어요.

仕事が多くて、最近帰りが遅いです。

버스 시간에 늦어서 지각했어요.

バスの時間に遅れて、遅刻しました。

이야기 전개가 느려서 드라마가 지루해요.

話の展開が遅くて、ドラマがつまらないです。

시계가 5분 느려요. (늦어요○)

時計が5分遅いです。

もっと知りたい!

● 늦다 / 느리다 どちらでも良い場合もあります。

例 시계(時計), 걸음(歩き),
회복(回復), 속도(速度) など

● 「ゆっくり話す」は「천천히 말하다」と言います。

練 習

1
遅い朝食を食べました。
아침밥을 (늦게 / 느리게) 먹었어요.

2
遅れたので、早く行きましょう。
(늦었으니까 / 느렸으니까) 빨리 가요.

3
起きて間もないので、動きが遅いです。
일어난 지 얼마 안 돼서 행동이 (늦어요 / 느려요).

「きれいだ」は、
예쁘다と깨끗하다どっち?

1
部屋をきれいに掃除する。
방을 (예쁘게 / 깨끗이) 청소하다.

2
部屋をきれいに飾る。
방을 (예쁘게 / 깨끗이) 꾸미다.

解説

예쁘다	形や姿がきれいだ。話し方や行動が愛らしい。かわいい。(＝이쁘다) 例：예쁜 옷 きれいなデザインの服　예쁜 손 きれいな形の手　예쁜 글씨 きれいな字　예쁜 말 きれいな言葉
깨끗하다	汚れていなくてきれいだ(⇔더럽다)。色が澄んでいる。 例：깨끗한 옷 洗濯した服　깨끗한 손 洗った手 깨끗한 물 きれいな水　깨끗한 하늘 きれいな空

Answer
1. 깨끗이　2. 예쁘게

얼굴도 예쁘고 목소리도 예쁘다.
顔もきれいで、声もきれいだ。

그 사람은 말을 참 예쁘게 해요.
あの人はとても愛らしく話します。

상처가 흉터없이 깨끗이 나았어요.
傷が痕も残らずきれいに治りました。

もっと知りたい!

- **아름답다**　美しい　아름다운 경치 美しい景色
- **귀엽다**　かわいい　귀여운 아기 かわいい赤ちゃん
- **곱다**　美しい、きめ細かい。 ＊穏やかで品がある時に使う。
　　　　　고운 한복 きれいな韓服
　　　　　고운 피부 きれいな肌

おかずが多かったけど、おいしくてきれいに〔残さず〕全部食べた。

1 반찬이 많았는데 맛있어서 (예쁘게 / 깨끗하게) 다 먹었다.

久しぶりに会った友達は相変わらずきれいでした。

2 오랜만에 만난 친구들은 여전히 (예뻤어요 / 깨끗했어요).

「良い」は、
좋다と낫다どっち?

1 | 天気がいい〔お天気だ〕。

날씨가 (좋다 / 낫다).

解説

좋다	①良い。(⇔나쁘다 悪い) 例：성격이 좋다 性格がいい　분위기가 좋다 雰囲気が良い ②好きだ。(⇔싫다 嫌いだ) 例：봄이 좋다 春が好きだ　네가 좋다 君が好きだ
낫다	①(ある対象と比較して)勝る、より良い、ましだ。 ＊〈ㅅ変則〉나으면 / 나아요 例：A보다 B가 낫다 AよりBの方が良い ＊この意味になる場合は「좋다」に置き換え可能。 ②(病気、傷が)治る。 例：병이 낫다 病気が治る　상처가 낫다 傷が治る

1. 좋다

용돈을 받아서 기분이 좋아요.

お小遣いをもらったので気分がいいです。

서울에서 분위기 좋은 카페에 가고 싶어요.

ソウルで雰囲気の良いカフェに行きたいです。

아미 씨는 긴 머리보다 짧은 머리가 나아요.

アミさんは長い髪より短い髪の方が良いです。

더 나은 인생을 위해 노력하자.

より良い人生のために努力しよう。

暑い日は外出するより家にいる方が良い。

1 더운 날에는 외출하는 것보다 집에 있는 게 (좋다 / 낫다).

今日の天気は散歩するのにいいですね。

2 오늘 날씨는 산책하기 (좋네요 / 낫네요).

私の友達は、かわいくて性格も良いです。

3 내 친구는 예쁘고 성격도 (좋아요 / 나아요).

「汚い」は、
지저분하다と더럽다どっち?

机の引き出しが汚い〔散らかっている〕。

1 **책상 서랍이 (지저분하다 / 더럽다).**

鳥のふんが付いて汚い。

2 **새똥이 묻어서 (지저분하다 / 더럽다).**

解説

지저분하다	散らかっている。部屋などが整理されてなくて汚い。 (⇔깔끔하다 すっきりしている) 例：방이 지저분하다 部屋が散らかっている　옷이 지저분하다 服が汚れている
더럽다	汚い。지저분하다より汚さが強い印象を与える。 (⇔깨끗하다 きれいだ) ①ごみ、染み、泥などで汚れている。 例：신발이 더럽다 靴が汚い ②道徳的、精神的な状態などが良くない。 例：더러운 돈 汚れたお金／悪いことに使われたお金 기분이 더럽다 不愉快だ

Answer　1. 지저분하다　2. 더럽다

옷장이 정리가 안 돼서 지저분하네요.

クローゼットが整理整頓されていなくて散らかっていますね。

지하철은 낡고 더러웠다.

地下鉄は古くて汚れていた。

컵이 더러운데 바꿔 주세요.

カップが汚いので交換してください。

● 「散らかる、ごちゃごちゃだ」の意味で「어지럽다」があります。

> 例　방이 너무 어지러워서 정신이 없다.
> 部屋が散らかっていて落ち着かない。

● 「汚い字」は「지저분한 글씨」と言います。

> 例　글씨가 지저분해서 못 읽겠어요.
> 字が汚くて読めません。

> あまりにも汚いので触りたくないです。
>
> **1** 너무 (더러워서 / 지저분해서) 만지고 싶지 않아요.

> 机がこんなに散らかっているのに、なぜ片付けないの?
>
> **2** 책상이 이렇게 (지저분한데 / 더러운데) 왜 안 치워?

「古い」は、
オ래되다と낡다どっち?

	キムチは古くなっても食べられる。
1	김치는 (오래돼도 / 낡아도) 먹을 수 있다.

解説

오래되다	できた時から時間が経過している。 例：오래된 교회 古い教会（歴史のある教会） 오래된 반지 古い指輪（昔の指輪） 오래된 바나나 古いバナナ（黒ずんだバナナ）
낡다	①ぼろい、擦り切れた。 例：낡은 지갑 古い財布　낡은 신발 古い靴　낡은 집 ぼろ家 ②時代遅れだ。 例：낡은 사고방식 古い考え方 ＊「낡다」は食べ物には使えないので注意！

1. 오래돼도

例　文

이 절은 근처에서 가장 오래된 절입니다.

このお寺は近所で一番古いお寺です。

오래된 집이지만 잘 관리해서 새집 같다.

古い家だが、よく管理していたので新築のようだ。

낡아서 구멍이 난 양말을 버렸어요.

古くて穴があいた靴下を捨てました。

자전거가 너무 낡아서 고장날 것 같아요.

自転車がとてもぼろくて壊れそうです。

もっと知りたい！

● 「使い古す」には「헐다」を使います。

　＊〈ㄹ語幹〉なので連体形は헌〜。

例　古着 헌 옷　古いスーツ 헌 양복
　　古本屋 헌책방

練　習

1　とても古いことだから覚えていません。
　　너무 (오래된 / 낡은) 일이라서 기억나지 않아요.

2　ズボンが古くてボロボロです。
　　바지가 (오래돼서 / 낡아서) 너덜너덜해요.

3　ワインは古いほどおいしいです。
　　와인은 (오래될수록 / 낡을수록) 맛있어요.

「高い」は、
높다と비싸다どっち?

1 山が高い。
산이 (**높다** / 비싸다).

2 値段が高い。
값이 (높다 / **비싸다**).

解 説

높다	高度、血圧、水準などが高い。(⇔낮다 低い) 例：높은 빌딩 高いビル　높은 교육 수준 高い教育水準 확률이 높다 確率が高い　가능성이 높다 可能性が高い 인기가 높다 / 있다 人気がある
비싸다	値段が高い(⇔싸다 安い)。(=값비싸다) 例：비싼 집 (価格が)高い家　물가가 비싸다 物価が高い　高価な指輪 값비싼 반지

1. 높다　2. 비싸다

例 文

풍선이 하늘 높이 날아갔어요.
風船が空高く飛んでいきました。

여름에는 기온이 높아서 견디기 힘들어요.
夏は気温が高くて耐えがたいです。

값이 비싼 선물보다 정성이 담긴 선물이 좋다.
値段が高いプレゼントより、心がこもった贈り物がいい。

もっと知りたい!

- 「背が高い」はキが높다ではなく「키가 크다」です。
- 「目が高い(理想が高い)」は「눈이 높다」、「鼻が高い(プライドが高い、傲慢だ)」は「코가 높다/콧대가 높다」、「敷居が高い」は「문턱이 높다」です。

例　눈이 높아서 아직 미혼이에요.
理想が高くてまだ未婚です。

練 習

① 北漢山はソウルで一番高い山です。
북한산은 서울에서 가장 (높은/비싼) 산입니다.

② 高い物だからって全部が全部いい物ではありません。
(높은/비싼) 물건이라고 다 좋은 것은 아니에요.

③ お父さんは血圧が高いので気を付けなければなりません。
아버지는 혈압이 (높아서/비싸서) 조심해야 해요.

「強い」は、
セダと강하다どっち?

1　ボールを強く投げる。
공을 (세게 / 강하게) 던지다.

2　子供を強く育てる。
아이를 (세게 / 강하게) 키우다.

解説

세다	(外に向けた)力や勢いが強い。 例 : 힘이 세다 力が強い　고집이 세다 頑固だ 술이 세다 酒に強い　센 술 強い酒　센 불 強火
강하다	攻めに対して(またはそれ自体が)強い。堅固だ。丈夫だ。 例 : 책임감이 강하다 責任感が強い 지진에 강하다 地震に強い 강한 결심 強い決心　강한 수비 強い守備

＊「風」「力」「香り」はセダと강하다どちらでもOK。
　例 : 바람이 세다 / 강하다, 힘이 세다 / 강하다, 향이 세다 / 강하다

1. 세게(강하게でも間違いではない)　2. 강하게(精神力の強い子)

오늘은 바람이 셉니다. (강합니다○)

今日は風が強いです。

그분은 은퇴했지만 여전히 영향력이 세요. (강해요○)

その方は引退しましたが、相変わらず影響力が強いです。

상무님은 리더십이 아주 강한 여성이에요.

常務はリーダーシップがとても強い女性です。

이 커피는 쓰지 않고 향이 강해요. (세요○)

このコーヒーは苦くなく、香りが強いです。

● 健康にまつわる意味の「強い」は「튼튼하다」を使います。

例 胃が強い 위가 튼튼하다

体が強い 몸이 튼튼하다

1 お酒が好きだけど、酒に強くありません。

술을 좋아하지만 술이 (세지/강하지) 않아요.

2 この橋は強い金属で建てられた。

이 다리는 (센/강한) 금속으로 만들어졌다.

3 彼は成功しようとする意思が強い。

그는 성공하려는 의지가 (세다/강하다).

「明るい」は、
밝다と환하다どっち?

1 性格が明るい。
성격이 (밝다 / 환하다).

解説

밝다	①それ自体が明るい。陽気だ。(⇔어둡다 暗い) 例：조명이 밝다 照明が明るい　밝은 직장 明るい職場 전망이 밝다 展望が明るい（展望がある）　밝기 明るさ 밝은 색 明るい色 ②詳しい。 例：소식에 밝다 情報に明るい
환하다	① 光を受けて明るい（よく見える）。 例：방이 환하다 部屋が明るい　환한 색 明るい色 앞쪽이 환하다 前方が広々としている ②よく知っている。 例：법에 환하다 法に明るい 그 사람에 대해 환하다 彼について何でも知っている ③（顔だちが）立派だ（＝훤하다） 例：이목구비가 환하다 目鼻だち（耳目口鼻）が立派だ

＊밝다と환하다は同じ意味で使われる場合も多い。

Answer

1. 밝다(성격이 환하다는 아마 사용하지 않는다)

例　文

목소리가 밝은데, 무슨 좋은 일이 있어요?

声が明るいけど、何かいいことがありますか?

좁지만 창문이 커서 방이 환해요. (밝아요○)

狭いけど、窓が大きいから部屋は明るいです。

친구의 환한 웃음에 긴장이 풀렸어요. (밝은○)

友達の明るい笑いで緊張が解けました。

もっと知りたい!

● 밝다には「(目、耳などが)良い」、動詞で「(夜などが)明ける」の意味も
あります。

例
눈이 밝아요.
目がいいです。

아침이 밝았어요.
夜が明けました。

練　習

1
このデスクライトは明るさを調節できます。
이 스탠드는 (밝기/환하기)를 조절할 수 있어요.

2
来年の輸出の展望が明るいです。
내년 수출 전망이 (밝습니다/환합니다).

3
外から家の中が明々とよく見えます。
밖에서 집안이 (밝게/환하게) 잘 보여요.

「うるさい」は、
시끄럽다と정신없다どっち?

Quiz

1

車の音がうるさい。

자동차 소리가 (시끄럽다 / 정신없다).

2

車が多いのでうるさい〔落ち着かない〕。

차들이 많아서 (시끄럽다 / 정신없다).

解 説

시끄럽다	やかましい。音がうるさくて耳障りである。(⇔조용하다 静かだ) 例：오토바이 소리가 시끄럽다. バイクの音がうるさい。
정신없다	落ち着かない。混乱したり、複雑な状態である。 例：사람이 너무 많아서 정신없다 人が多すぎて落ち着かない ＊装飾がごてごてとうるさい(派手な)場合も「정신없다」と言う。 例：장식이 너무 정신없다. 다른 거 골라 봐. 飾りがうるさ過ぎる。別のものを選んでみて。

Answer
1. 시끄럽다　2. 정신없다

例 文

저기 시끄러운데 좀 조용히 해 줄래?

あの、ちょっとうるさいんだけど、静かにしてくれる？

조용하세요. 시끄러워서 소리가 안 들려요.

静かにしてください。うるさくて音が聞こえません。

정신없으니까 가만히 좀 있어라.

わずらわしいから、じっとしてなさい。

もっと知りたい！

●嫌になるほど、こまごまとこだわることは「까다롭다」と言います。

例
입맛이 까다롭다 味にうるさい

시간에 까다롭다 時間にうるさい

까다로운 손님 うるさいお客さん

練 習

警報がうるさく鳴っていて、寝れませんでした。

① 경보가 (시끄럽게 / 정신없게) 울려서 잠을 못 잤어요.

工事現場の騒音がうるさくて、苦情が多いそうです。

② 공사장 소음이 (시끄러워서 / 정신없어서) 민원이 많이 들어온대요. ＊민원 住民からの行政機関への苦情。

子供が騒がしく泣いたせいで、とても落ち着かなかったです。

③ 아이가 시끄럽게 울어서 (시끄러웠어요 / 정신없었어요).

「忙しい」は、
바쁘다と정신없다どっち？

1 仕事が忙しい。
일이 (바쁘다 / 정신없다).

2 仕事が多くて忙しい〔慌ただしい〕。
일이 많아서 (바쁘다 / 정신없다).

解 説

바쁘다	一般的な意味の「忙しい」(⇔한가하다 暇だ)。急だ。
정신 (이) 없다	(精神がない) 慌ただしい。とても忙しくて気持ちが落ち着かない。余裕がない。無我夢中である。例：요즘은 아이 때문에 정신 (이) 없다. 最近は子供のせいでせわしない。

Answer
1. 바쁘다 2. 정신없다

例 文

요즘 너무 바쁜 거 아니에요?
最近忙しすぎじゃないですか?

아무리 바빠도 쉬면서 하세요.
どんなに忙しくても、休みながらやってください。

우리 애는 노는 데 정신이 없어요.
うちの子は遊ぶのに忙しいです(夢中です)。

연말은 너무 바빠서 정신없었어요.
年末はとても忙しくて落ち着かなかったです。

練 習

1
急いでいる仕事を終えてから連絡します。
(바쁜/정신없는) 일을 끝내고 연락할게요.

2
とても急なことだったので、忙しかったです〔せわしなかったです〕。
너무 급한 일이라서 (바빴어요/정신없었어요).

3
どれだけお腹が空いていたのか、食べるのに忙しいですね〔夢中ですね〕。
얼마나 배가 고팠는지 먹는 데 (바쁘네요/정신없네요).

4
今日は仕事が多すぎて忙しいです〔せわしないです〕。
오늘은 일이 너무 많아서 (바빠요/정신없어요).

「違う」は、
다르다と틀리다どっち?

Quiz

1 色が違う。
색깔이 (다르다 / 틀리다).

解説

다르다	同じではない。異なる。(⇔같다 同じだ) 例：모습이 다르다 姿が違う 생각이 다르다 考えが違う	
틀리다	〈動詞〉正しくない。間違える。計算や事実などが合って ない。(⇔맞다 合う) 例：답이 틀리다 答えが違う 계산이 틀리다 計算が違う	

例 文

한국과 일본은 문화가 다르다.

韓国と日本は文化が違う。

긴 대사를 틀리지 않고 끝까지 할 수 있을까?

長いセリフを間違わずに最後までできるかな?

정답은 3번이야. 네 (니) 답이 틀렸어!

正解は3番だよ、君の答えは間違ってる!

もっと知りたい!

● 「正しくない、~ではない、違う」の意味には、「아니다」を使います。

例 어제 들었던 이야기가 아니다.

昨日聞いた話と違う。

그것은 사실이 아니다.

それは事実と違う。

● 「違うよ!」は 「아니야!」と言います。

練 習

1 夕方から雨が降るという天気予報は間違っていた。

저녁부터 비가 온다는 일기 예보가 (달랐어 / 틀렸어).

2 能力によって報酬が違うのは当然のことだ。

능력에 따라 보수가 (다른 / 틀린) 것은 당연한 일이다.

3 双子も性格が違うそうです。

쌍둥이도 서로 성격이 (다르다 / 틀리다)고 해요.

「大事だ」は、
중요하다と소중하다どっち？

1 大事な会議がある。
(중요한 / 소중한) 회의가 있다.

解説

중요하다	【重要 -】必要で大事だ。 例：중요한 약속 大事な約束　중요한 회의 大事な会議 중요한 서류 大事な書類　중요한 역할 大事な役割
소중하다	個人的に、またはそのもの自体が大切だ。 例：소중한 만남 大切な出会い　소중한 물건 大事な物 소중한 사람 大切な人　소중한 기억 / 추억 大切な記憶 ／思い出

1. 중요한

例 文

병은 치료보다 예방이 중요합니다.

病気は治療より予防が大事です。

무엇보다 소중한 것은 가족이 아닐까?

何より大事なのは家族ではないだろうか。

그 친구는 나의 둘도 없는 소중한 사람이다.

その友達は私の二人といない(とても)大切な人だ。

もっと知りたい!

● 「大事に思う、惜しむ、節約する」には「아끼다」を使います。

例
동생을 아끼다 弟を大切にする　　말을 아끼다 言葉を大切にする

돈을 아끼다　お金を大切にする　　시간을 아끼다 時間を大切にする

練 習

1 これまで以上に大事な決断をしなければならなかった。
어느 때보다 (중요한 / 소중한) 결정을 내려야 했다.

2 ファンからもらった手紙を大切に保管しています。
팬에게서 받은 편지를 (중요하게 / 소중하게) 간직하고 있어요.

3 大事な約束があるので、今日の飲み会には参加できないと思います。
(중요한 / 소중한) 약속이 있어서 오늘 회식에는 참가하기 힘들 것 같아요.

「にぎやかだ」は、활기차다と 번화하다と북적거리다どっち?

Quiz

1
にぎやかな祭り
(활기찬 / 번화한) 축제

2
にぎやかな大都市
(활기찬 / 번화한) 대도시

解説

활기차다	活気に満ちて、にぎやかだ。陽気だ。 例：활기찬 웃음소리 にぎやかな笑い声 활기찬 캠퍼스 にぎやかなキャンパス
번화하다	【繁華-】場所が華やかで商業が盛んでいる。 ＊六本木、明洞など。 例：번화한 거리 / 번화가 繁華街
북적거리다	(集まった人で)にぎわう。ごった返す。 例：손님으로 북적거리는 가게 客でにぎわう店

例　文

이벤트가 활기차게 진행되고 있어요.
イベントがにぎやかに行われています。

뉴욕은 세계에서 가장 번화한 도시입니다.
ニューヨークは世界で一番にぎやかな都市です。

그 전통 시장은 항상 사람들로 북적거려요.
その伝統市場はいつも人でごった返しています。

練　習

店の前は、新製品を買うために集まった人たちでごった返しています。
① 가게 앞은 신제품을 사려는 사람들로 (번화해요 / 북적거려요).

学校の前は登校する学生たちでにぎやかだ。
② 학교 앞은 등교하는 학생들로 (활기차다 / 번화하다).

にぎやかな歌に合わせて体を揺らしました。
③ (활기찬 / 번화한) 노래에 맞춰서 몸을 흔들었어요.

繁華街を歩きながらウィンドウショッピングをした。
④ (번화한 / 활기찬) 길을 걸으며 아이쇼핑을 했다.

「黄色い」の노랑다と
누렇다は、どう違う?

Quiz

1

たんぽぽの花が黄色く咲きました。

민들레꽃이 (노랗게 / 누렇게) 피었습니다.

解説

노랗다	明るく鮮やかな黄色。 例：노란 꽃 黄色い花　노란 리본 黄色いリボン
누렇다	少し暗くて古い感じの黄色（黄ばんでいる）。 例：하얀 옷이 누렇게 변했다 白い服が黄色く変わった 누런 소 黄褐色の牛　누런 개 黄色い犬

Answer
1. 노랗게

어린이집 아이들의 노란 우산이 참 예뻐요.

保育園の子供たちの黄色い傘がとてもかわいいです。

불빛이 노랗고 따뜻해 보였다.

光が黄色くて暖かく見えた。

황사 때문에 요즘 서울 하늘이 누래요.

黄砂で最近のソウルの空は黄色っぽいです。

もっと知りたい!

● 〈ㅎ変則〉を確認しておきましょう。

- 아 / 어요 ~です／ -(으) 면 ~なら／ - 네요 ~ですね

例　노랗다 : 노래요 / 노라면 / 노라네요
　　누렇다 : 누래요 / 누러면 / 누러네요

練　習

① 黄色いハンカチをプレゼントしました。
　(노란 / 누런) 손수건을 선물했어요.

② 長い間人が住んでないから壁が黄ばんでいますね。
　오랫동안 사람이 안 살아서 벽이 (노라네요 / 누러네요).

③ 子供が黄色いひよこを一羽もらってきた。
　아이가 (노란 / 누런) 병아리를 한 마리 받아 왔다.

「正しい」は、
바르다と옳다と맞다どっち?

Quiz

1
あなたの言うことが正しい。
네 말이 (옳다 / 바르다).

2
姿勢が正しい。
자세가 (맞다 / 바르다).

解 説

바르다	言動が道徳的できちんとしている。（=올바르다） ＊〈르変則〉발라요 正しいです 例：바른 행동 正しい行動　바른 생활 正しい生活
옳다	道理にかなっている。個人的な基準で正しい。 例：옳은 선택 正しい選択　옳은 판단 正しい判断
맞다	合っている。言動や答えが間違ってない。（⇔틀리다 間違っている） ＊感嘆詞「맞다!」は「そうだ!」の意味。 例：맞는 답 正しい答え（옳은 답もOK）　맞는 사이즈 ぴったりのサイズ

공부할 때는 바른 자세로 앉으세요.

勉強する時は正しい姿勢で座ってください。

오빠는 예의 발라서 자주 칭찬을 들어요.

お兄さんは礼儀正しいのでよく褒められます。

나는 네가 옳은 선택을 할 거라고 믿어.

私は君が正しい選択をすると信じている。

2번 문제의 답은 1번이 맞습니까?

2番の問題の答えは1番で正しいですか(合っていますか)?

① 次の中で正しい答えを選んでください。
다음 중 (맞는/바른) 답을 고르세요.

② 目上の人の前では、礼儀正しく行動しなければいけません。
웃어른 앞에서는 예의 (옳게/바르게) 행동해야 해요.

③ やはり私の選択は正しかった。
역시 나의 선택이 (발랐다/옳았다).

「安い」は、
싸다と저렴하다どっち?

1

[市場で]お客さん! 安くしますよ。

손님! (싸게 / 저렴하게) 해 드릴게요.

解説

싸다	他と比べて値段が安く、得した感覚を持つ(⇔비싸다高い)。品質より安さを強調する。 例：시장에 가면 더 싸요. 市場に行けばもっと安いです。
저렴하다	リーズナブルだ。安くていいというポジティブなニュアンスがある。 例：백화점 세일 때는 좋은 물건을 저렴하게 살 수 있다. デパートのセールの時はいいものを安く買える。

＊日常生活では「싸다」を使う場合が多いが、2つのニュアンスを知ることも大事!

1. 싸게

그 마트에는 싼 물건들이 많아요.

あのスーパーには安いものがたくさんあります。

좋은 물건을 저렴한 가격에 팔고 있습니다. (싼○)

いい物を手頃な価格で売っています。

최근에는 저렴하지만 호텔 못지않은 숙박 시설이 많다.

最近は、値段は手頃だけどホテルに負けない宿泊施設が多い。

● 「安物、安売り品」は「싸구려」と言います。

例 싸구려 화장품은 피부에 자극을 줄 수 있어요.

安っぽい化粧品は肌に刺激を与える可能性があります。

パソコンをインターネットの共同購入ではるかに安く買いました。

1 컴퓨터를 인터넷 공구로 훨씬 (싸게 / 저렴하게) 샀어요.

＊공구：공동구매(共同購入〔他の人と一緒に購入すると安くなる〕)の略語。

10周年記念イベントで手頃な価格で販売しています。

2 10주년 행사로 (싼 / 저렴한) 가격으로 판매합니다.

航空券はオフシーズンの方がずっと安いです。

3 비행기표는 비수기 때 훨씬 (싸요 / 저렴해요).

「硬い」は、
딱딱하다と질기다どっち？

1　キャンディが硬い。
사탕이 (딱딱하다 / 질기다).

2　スルメイカが硬い。
오징어가 (딱딱하다 / 질기다).

解説

딱딱하다	①飴、石、木材などがしっかりしていて硬い。 例：딱딱한 돌 硬い石　딱딱한 얼음 硬い氷 ②雰囲気、言葉使い、態度などが硬い。（⇔부드럽다 柔らかい） 例：딱딱한 분위기 硬い雰囲気　딱딱한 태도 硬い態度
질기다	①肉などが噛み切れないように硬い。（⇔연하다 柔らかい） 例：질긴 문어 硬いタコ　질긴 고기 硬い肉 ②革や布などが頑丈だ。 例：질긴 청바지 頑丈なジーンズ

Answer
1. 딱딱하다　2. 질기다

例　文

새로 산 구두가 딱딱해서 발이 아파요.

新しく買った靴が硬くて足が痛いです。

바게트 빵은 딱딱하지만 맛있어요.

バゲットは硬いけどおいしいです。

이 바지는 질기니까 절대로 찢어지지 않습니다.

このズボンは頑丈だから絶対破れません。

소고기를 너무 구우면 질겨서 맛이 없어요.

牛肉を焼きすぎたら硬くておいしくないです。

＊굽다 (焼く)는 〈ㅂ変則〉。구우면 焼いたら／구워요 焼きます

練　習

① この店のステーキは硬すぎますね。

이 집 스테이크는 너무 (딱딱하네요 / 질기네요).

② 椅子が硬くてお尻が痛いです。

의자가 (딱딱해서 / 질겨서) 엉덩이가 아파요.

③ 祖母は硬いせんべいは食べられません。

할머니는 (딱딱한 / 질긴) 센베이는 못 드세요.

「濃い」の진하다と짙다は、
どう違う?

1 スープの汁が濃い。
국물이 (진하다 / 짙다).

解説

진하다	一般的な意味の「濃い」。濃度が高い。うまみが強い。 (⇔연하다) 例：진한 화장 濃い化粧　안개가 진하다 霧が濃い 진한 냄새 濃いにおい　맛이 진하다 味が濃い
짙다	色や程度が濃い。(⇔옅다) 例：짙은 화장 濃い化粧　안개가 짙다 霧が濃い 짙은 향기 濃い香り　수염이 짙다 ひげが濃い ＊진하다と짙다はほとんど同じように使えるが、짙다は 味には使わない。

Answer
1. 진하다(곰탕, 설렁탕などの肉や骨の汁が濃い。塩味は関係ない)

진한 빨간색 자동차라서 눈에 잘 띄어요. (짙은○)

濃い赤の車だから、よく目立ちます。

진한 커피를 좋아해요.

濃いコーヒーが好きです。

화장을 짙게 하지 마세요. (진하게○)

化粧を濃くしないでください。

피는 물보다 진하다.

[ことわざ] 血は水より濃い。

● 塩味 (しょっぱい) は「짜다 (濃い)」と言います。 (⇔싱겁다 薄い)
● 머리숱이 많다 (髪が濃い)、눈코입이 뚜렷하다 (顔が濃い)、캐릭터가 강렬하다 (キャラが濃い) もあります。

1
ソルロンタンの味が濃く、肉も柔らかいです。
설렁탕 맛이 (진하고 / 짙고) 고기도 연해요.

2
あそこの、口ひげが濃い男の人は誰ですか?
저기 콧수염이 (진한 / 짙은) 남자가 누구예요?

3
霧が濃いので、運転に気を付けてください。
안개가 (진하게 / 짙게) 끼었으니까 운전 조심하세요.

「優しい」は、친절하다と
자상하다と상냥하다どっち?

1

通りかかった人が優しく道を教えてくれました。

지나가던 사람이 (친절하게 / 자상하게) 길을 가르쳐 줬어요.

解説

친절하다	親切だ。人への接し方が丁寧で優しい。 (⇔불친절하다 不親切だ) ＊主に仕事の対応などに言う。 例：친절한 경찰관 親切な警察官 친절한 운전기사 親切な運転手さん
자상하다	【仔詳-】気が利く。気配りができて優しい。 ＊主に男性や目上の人に言う。 例：자상한 아빠 優しいパパ　자상한 상사 優しい上司
상냥하다	にこやかだ。気さくで優しい。 ＊主に若い女性に言う。 例：상냥한 아가씨 優しいお嬢さん

Answer

1. 친절하게

여행 중에 친절한 한국 사람을 만났어요.
旅行中に優しい韓国人に会いました。

선배는 후배들을 자상하게 잘 챙겨 줘요.
先輩は後輩たちを優しく面倒を見てくれます。

누나같이 상냥한 여자와 사귀고 싶어요.
お姉さんのような優しい女性と付き合いたいです。

もっと知りたい!

● 「인자하다【仁慈 -】」は、祖父母の孫に対する優しさなど、「慈愛に満ちた優しさ」という意味で使います。

例 인자하신 할머니
優しいおばあちゃん

練 習

① 私の彼氏は優しくて格好いいです。
제 남자 친구는 (자상하고 / 상냥하고) 멋있어요.

② 私の彼女は優しくてきれいです。
제 여자 친구는 (자상하고 / 상냥하고) 예뻐요.

③ 従業員が顧客を優しく案内しました。
종업원이 고객을 (친절하게 / 자상하게) 안내했어요.

「優しい」は、부드럽다と
착하다と좋다どっち？

1　優しい雰囲気
（부드러운 / 착한）분위기

2　優しい子
（부드러운 / 착한）아이

解 説

부드럽다	性質、態度などが上品で美しい。 例：부드러운 목소리 優しい声 부드러운 미소 優しい微笑み
착하다	性格が穏やかで優しい。他人に対して思いやりがある。 例：착한 사람 優しい人 / お人好し 마음씨가 착하다 気立てが良い
（-에）좋다	（〜に）良い。悪い影響を与えない。刺激が少ない。 例：환경에 좋다 環境に優しい 피부에 좋다 肌に優しい

Answer
1. 부드러운　2. 착한

그의 부드러운 눈빛에 반해 버렸어요.

彼の優しい眼差しに、ほれてしまいました。

언니는 남을 먼저 생각하는 착한 사람이에요.

姉は他人を優先する優しい人です。

피부에 좋은 화장품이니까 써 보세요.

肌に優しい化粧品なので使ってみてください。

- 社会や環境に良い影響を与えるものに対して「착한 ～」と言います。

  例　착한 가격　優しい(良心的な)価格
  　　착한 기업　(環境や社会に)優しい企業

- 「環境に優しい」は「친환경【親環境】」です。

  例　친환경 제품　環境に優しい製品
  　　친환경 차　環境に優しい車

1　赤ん坊を優しく抱きしめました。
　　갓난아기를 (부드럽게 / 착하게) 안았어요.

2　人が良すぎるのも問題です。
　　사람이 너무 (부드러운 / 착한) 것도 문제예요.

3　健康に良い食べ物なのでたくさん召し上がってください。
　　건강에 (부드러운 / 좋은) 음식이니까 많이 드세요.

「若い」は、
젊다と어리다どっち?

1 若い社員が多い。
(젊은 / 어린) 사원이 많다.

2 小さい子供たちが遊んでいる。
(젊은 / 어린) 아이들이 놀고 있다.

解説

젊다	若い。若々しい。（⇔늙다 老いる） ＊年齢と関係なく元気のあるイメージ。 例：아직 젊다 まだ若い　젊어 보이다 若く見える ＊「若者」は젊은이（⇔늙은이 お年寄り）。
어리다	①幼い。 例：어린 아이 幼い子 ＊「子供」は어린이（⇔어른 大人）。 ②（考えや行動が）未熟だ。 例：생각이 어리다 考えが幼い ③年下だ。 例：나이가 어리다 年が下だ

Answer

1. 젊은　2. 어린

例 文

건강 관리는 젊을 때부터 해야 합니다.
健康管理は若い時からしなければなりません。

젊은 엄마가 어린 아이를 안고 있어요.
若いお母さんが幼い子を抱いています。

형제 중에서 가장 어린 사람을 막내라고 해요.
きょうだいの中で一番年下をマンネ(末っ子)と言います。

어렸을 때는 자주 할머니 집에서 놀았어요.
子供の時は、よくおばあちゃんの家で遊びました。

練 習

1 年を取っただけで、まだ考えが幼いです。
나이만 들었지 아직 생각이 (젊어요 / 어려요).

2 少しでも若いうちに旅行に行きたい。
조금이라도 (젊을 / 어릴) 때 여행을 다니고 싶다.

3 夫が妻より7歳若いです。
남편이 아내보다 일곱 살 (젊어요 / 어려요).

「似ている」は、
비슷하다と닮았다どっち?

1

私の考えもあなたのと似ている。

내 생각도 네 생각이랑 (닮았다 / 비슷하다).

解 説

비슷하다	2つがほぼ同じだ。〜のようだ。同じくらいだ。 例：비슷한 색깔 似た色　사랑 비슷한 감정 恋に似た感情　비슷한 말 類語　비슷한 때 同じくらいの時
닮았다	人の見た目や性質が似ている。 例：엄마를 닮았다 母に似ている 그 가수하고 닮았다 その歌手に似ている

＊닮다〈動詞〉は、「まねてそれに近くなる」の意味。
　例：그분을 닮고 싶다 あの方のようになりたい
　　　서로 웃음소리도 닮아 가다 お互いに笑い声も似ていく

1. 비슷하다

例　文

아기가 아내를 닮았으면 좋겠어요.

赤ちゃんが嫁(妻)に似てほしいです。

형의 좋은 점만 닮고, 나쁜 점은 닮지 말아라.

兄の良いところだけ似て、悪いところは似てないで。

디자인은 비슷한데 기능은 완전히 달라요.

デザインは似ているけど、機能は完全に異なります。

もっと知りたい！

● 「…に似ず～. だ」は「-와/과는 다르게」と言います。

例　외모와는 다르게 성실하다
　　外見とは違って真面目だ

● 「うり二つ」の意味で「붕어빵(たい焼き)」を使います。

例　아빠랑 붕어빵이다
　　パパとうり二つだ

練　習

① 2つの話は内容はとても似ています。
　두 이야기가 내용이 너무 (닮았어요 / 비슷해요).

② おじいさんに似て、背が高いです。
　할아버지를 (닮아서 / 비슷해서) 키가 커요.

③ 兄弟全員が性格も本当に似ています。
　형제들끼리 모두 성격도 정말 (닮았어요 / 비슷해요).

「大人らしい」の어른답다と
어른스럽다はどう違う?

Quiz

1

7歳の子供の話し方が大人っぽい。

7살짜리 아이가 말하는 게 (어른 답다 / 어른스럽다).

解説

어른답다	大人が年相応に成熟して落ち着いている。 例 : 어른다운 어른 大人らしい大人 어른다운 행동 大人らしい行動 ＊子供に어른답다とは言わない。
어른스럽다	子供が大人のようだ。大人っぽい。 例 : 어른스러운 아이 大人らしい子供 소년의 어른스러운 모습 少年の大人っぽい姿 ＊大人に어른스럽다とは言わない。

＊ - 답다が付く場合は「〜にふさわしい」といった肯定的なニュアンス、- 스럽다が付く
場合は「〜のようだ、〜っぽい」というニュアンスで使う。
例 : 아이는 아이답고 어른은 어른다워야 한다. 子供は子供らしく、大人は大人らしく
あるべきだ。

1. 어른스럽다

例　文

어른이면 어른답게 모범을 보이세요.

大人なら、大人らしく手本を見せてください。

이런 태도는 어른답지 못합니다.

このような態度は大人らしくありません。

어른스러운 옷을 입는 건 좀 빠른 것 같아요.

大人っぽい服を着るのはまだ早いと思います。

もっと知りたい！

● 名詞に「- 답다, -스럽다」を付けて形容詞を作ることができます。- 답다はいろいろな名詞に付けることができ、-스럽다は状態、性格、感情を表す単語に付きます。

例　名詞+답다 → 너답다 あなたらしい　학생답다 学生らしい

名詞+스럽다 → 자연스럽다 自然だ　여성스럽다 女性らしい

練　習

二十歳になったので、大人らしく行動しなければいけません。

① 스무 살이 되었으니까 (어른답게 / 어른스럽게) 행동해야 합니다.

学生服を着たらとても大人に見えるね。

② 교복을 입으니까 무척 (어른다워 / 어른스러워) 보이는구나.

ネィティブな表現

1

「楽しみにしています」は何と言う？

　コンサートや友達との約束、旅行などを「楽しみにしています」と言いたい場合、何と言えばいいでしょうか？　実は韓国語の場合「楽しみにする」に直接当たる表現はないため、次の単語を使い分けます。何かを期待している時には「발표회 기대할게요（発表会、楽しみにしています）」「이번 시합의 활약이 기대돼요（今回の試合の活躍が楽しみです）」のように「기대하다」「기대되다」を使います。ただし、これらは「期待する」の意味から、場面によっては相手に負担を感じさせる場合がありますので、その点に注意しましょう。そして、何かが待ち遠しい時には「BTS의 콘서트가 기다려지네요（BTSのコンサートが楽しみですね）」のように「기다려지다（待ち遠しい）」を使います。

　まとめると、韓国語では楽しみな気持ちについては、日本語より具体的に「기대하다」や「기대되다」「기다려지다」で表します。

　　이번 신곡이 너무 기대돼요.

　　（今回の新曲にとても期待しています）

　　이번 신곡이 너무 기다려져요.

　　（今回の新曲がとても待ち遠しいです）

　また、「楽しんでください」も「즐겨 주세요」とは言わずに「즐거운 시간 보내세요」「재미있게 보내세요」といった表現を使います。例えば「旅行を楽しんでください」は「즐거운 여행 보내세요」と言いますので覚えておきましょう！

第 2 章

動　詞

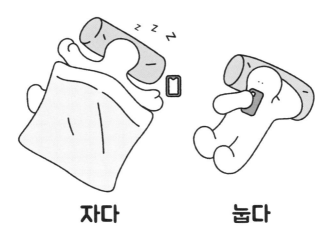

자다　　　　　눕다

ここでは［動作］や［日常］関連の単語、
［感情］［時間］［食べ物］［料理］にまつわるもの、
そして注意したい［表現］を取り上げています。

「怒る」は、
화가 나다と화를 내다どっち?

Quiz

私に怒るなよ!

1 | **나한테 화 (나지 / 내지) 마!!**

解説

화 (가) 나다	自分に腹が立つ。むかつく。 例：생각대로 안 돼서 화가 나다 　　思い通りにならなくて腹が立つ	
화 (를) 내다	相手に怒り出す。腹を立てる。 例：부하에게 화를 내다 部下に怒る	

Answer
1. 내지

例 文

화가 날 때는 심호흡을 한번 해 보세요.

腹が立つ時は深呼吸をしてみてください。

엄마가 엄청 화났어!

ママがめっちゃ怒ってる!

너무 화를 내면 건강에 안 좋습니다.

あまり怒りすぎると健康に良くありません。

もっと知りたい!

● 「ムカついた」は「열받아」と言います。

例 컴퓨터가 안돼서 열받아!

パソコンがうまくいかなくて腹が立つ。

● 「イライラする」は「짜증나다」、「腹を立てる、かんしゃくを起こす」は「짜증내다」と言います。

例 일이 안 풀려서 짜증나요.

仕事がうまくいかなくてイライラする。

練 習

1 普段はほとんど怒らないんです。
평소에는 거의 (화가 나지 / 화를 내지) 않아요.

2 その話を聞いて、すごく腹が立ったよ!〔本当に怒ったよ!〕
그 얘기 듣고 정말 (화가 났어 / 화를 냈어)!

3 部長はいつも怒っているよ。
부장님은 항상 (화가 나고 / 화를 내고) 있어.

「耐える」は、
견디다と버티다と참다どっち?

1　暑さに耐える。
더위를 (**견디다** / 버티다 / 참다).

2　涙を我慢する。
눈물을 (견디다 / 버티다 / **참다**).

解説

견디다	困難や苦しみに耐える。建物などが圧力に耐える。 例：어려움을 견디다 困難に耐える 외로움을 견디다 寂しさに耐える
버티다	動かずに頑張って耐える。踏ん張って持ちこたえる。 例：한자리에서 버티다 一カ所で耐える 두 다리로 버티다 両足で踏ん張る
참다	(感情、痛み、生理現象などを)我慢する。こらえる。 例：통증을 참다 痛みを我慢する 숨을 참다 息を我慢する 웃음을 참다 笑いをこらえる　화를 참다 怒りを抑える

Answer
1. 견디다　2. 참다

例文

여름은 너무 더워서 견디기 힘들어요.
夏は暑すぎて耐えるのが難しいです。

이 건물은 진도 7의 지진에도 견딜 수 있습니다.
この建物は震度7の地震にも耐えられます。

강풍에 날아가지 않으려고 버텼어요.
強風に飛ばされないように耐えました。

수업 시간에 졸음을 참느라고 힘들었어요.
授業の時、眠いのを我慢するのが大変でした。

練習

寒い冬を耐えた木から、新芽が出ました。
1 추운 겨울을 (견딘 / 참은) 나무에서 새싹이 났어요.

泣きたい時は我慢しないで泣いてください。
2 울고 싶을 때는 (견디지 / 참지) 말고 우세요.

急停車するバスの中で倒れないように踏ん張りました。
3 급정차하는 버스 안에서 넘어지지 않으려고 (참았어
요 / 버텼어요).

「気になる」の신경 쓰이다と
궁금하다と관심 있다は、どう違う?

1
正解が気になる。
정답이 (신경 쓰이다 / 궁금하다 /
관심 있다).

2
悪質コメントが気になる。
악플이 (신경 쓰이다 / 궁금하다 /
관심 있다).

解 説

신경 쓰이다	ずっと考えてしまう。心配する(=걱정되다)。 例：평판이 신경 쓰이다 評判が気になる
궁금하다	ただ知りたい。 例：가격이 궁금하다 値段が気になる
관심 있다	興味がある。好意を持っている。＊人에게 / 한테 ~ 例：그녀한테 관심 있다 彼女に関心がある 그 신상품에 관심이 있다 あの新商品に興味がある

Answer
1. 궁금하다　2. 신경 쓰이다

옷이 더러운 게 (것이) 신경 쓰여요.

服の汚れが気になります。

궁금한 게 있으면 언제든지 물어 보세요.

気になることがありましたら、いつでも聞いてください。

그 화장품에 관심이 있어요.

その化粧品に興味があります。

もっと知りたい!

● 「気になる」には他の言い方もあります。

例　그 친구 말투가 좀 귀에 **거슬려요**.

彼の話し方が少し耳障りです。

저 그림에 대해서 **더 알고 싶어요**.

あの絵についてもっと知りたいです。

새로운 가게가 오픈하는데, **한번 가 보고 싶어요**.

新しい店がオープンするけど、一度行ってみたいです。

練　習

1　気になる人にいい人だと思われたいです。
(궁금한 / 관심 있는) 사람한테 잘 보이고 싶어요.

2　話の結末が気になります。
이야기 결말이 (신경 쓰여요 / 궁금해요 / 관심 있어요).

3　彼の言ったことが気になって眠れません。
그가 한 말이 (신경 쓰여서 / 궁금해서) 잠이 안 와요.

「かかる」は、
걸리다と들다どっち?

会社までどれくらい時間がかかりますか?

1 | 회사까지 시간이 얼마나 (걸려요 /
들어요)?

解 説

걸리다	①何かをするのに時間が費やされる。 例 : 시간이 걸리다 時間がかかる ②病気にかかる。 例 : 감기에 걸리다 風邪を引く
들다	①費用がかかる。 例 : 돈이 들다 お金がかかる ②病気になる。 例 : 감기가 들다 風邪になる

＊ウィルスや細菌によって病気になる、癌(癌)、コロナ(コロナ)、独感(インフルエンザ)
などには「-에 걸리다」を使う。例 : 암에 걸리다, 코로나에 걸리다

1. 걸려요

사람이 많아서 계산하는 데 1시간이나 걸렸어요.

人が多くて会計するのに1時間もかかりました。

감기에 걸리지 않게 조심하세요.

風邪を引かないように気を付けてください。

이번 여행은 경비가 많이 들어서 취소할 거야.

今回の旅行は経費がたくさんかかるのでキャンセルする。

もっと知りたい!

● 「들다」には「짐을 들다(荷物を持つ)」「잠이 들다(眠りに入る)」「장마가 들다(梅雨になる)」の意味もあります。

練　習

1　彼と再会するのに何年もかかった。
그를 다시 만나는 데 몇 년이나 (들었다 / 걸렸다).

2　子供を育てるにはたくさんの費用がかかります。
아이를 키우는 데는 많은 비용이 (들어요 / 걸려요).

3　お金がたくさんかからないように、機材は借りることができます。
돈이 많이 (걸리지 / 들지) 않도록 장비는 빌릴 수 있습니다.

「急ぐ」は、
서두르다と급하다どっち？

1
気持ちが焦る。
마음이 (서두르다 / 급하다).

2
準備を急ぐ。
준비를 (서두르다 / 급하다).

解 説

서두르다	〈動詞〉急ぐ。慌ただしく動く様子。 例：서둘러서 움직이다 急いで動く 결혼을 서두르다 結婚を急ぐ ＊〈르変則〉서둘러요 急ぎます
급하다	【急-】①〈形容詞〉急ぎだ。時間がなくて焦る様子。 例：마음이 급하다 気持ちが焦る 한시가 급하다 一刻を争う ②せっかちだ。 例：성격이 급하다 性格がせっかちだ

1. 급하다　2. 서두르다

例　文

출발 시간이 얼마 안 남았으니까 서두릅시다.
出発時間まであまり残ってないので、急ぎましょう。

손님이 온다고 해서 서둘러서 청소했어요.
お客さんが来ると言うので、急いで掃除しました。

지금은 급한 일이 있으니까 나중에 이야기해요.
今は急用があるので後で話しましょう。

아까 급하게 먹어서 체한 것 같아요.
さっき急いで食べたので胃もたれしたようです。

もっと知りたい!

● ことわざに「급할수록 돌아가라(忙しいほど回って行け〔急がば回れ〕)」が
あります。

練　習

1 時間がないので急いでください。
시간이 없으니까 (서두르세요 / 급하세요).

2 緊急時ほど落ち着いて行動しなければなりません。
(서두를 / 급할) 때일수록 침착하게 행동해야 해요.

3 急ぎではないので、すぐにしなくてもいいです。
급하지 않으니까 (서두르지 / 급하지) 않아도 돼요.

「噛む」は、
물다と깨물다と씹다どっち？

Quiz

飴は噛んで食べる方が好きです。

1 사탕은 (깨물어 / 물어) 먹는 것을
좋아해요.

解 説

물다	①前歯でものをくわえる。 例：담배를 입에 물다 タバコをくわえる ②歯を立てて傷つける。 例：개가 사람을 물다 犬が人を噛む
깨물다	①噛み砕だく。 例：센베이를 깨물어 먹다 せんべいを噛み砕いて食べる ②ぐっと抑える。 例：입술을 깨물다 唇を噛む　혀를 깨물다 舌を噛む
씹다	奥歯で細かく噛みつぶす。 例：껌을 씹다 ガムを噛む

Answer
1. 깨물어

아기가 젖병을 입에 물고 잠이 들었어요.

赤ちゃんが哺乳瓶を口にくわえて寝てしまいました。

불안한 듯이 입술을 깨물었다.

不安そうに唇を噛んだ。

밥은 꼭꼭 잘 씹어 먹어라.

ご飯はしっかりよく噛んで食べなさい。

●友達同士で電話やLINEの「既読スルー」を「씹다」と言います。

例　어제 내 문자도 씹고 전화도 씹더라.

昨日、私のメールも無視して電話も無視していたね。

●「歯をくいしばる」は「이를 악물다」と言います。

例　이를 악물고 참았다.

歯をくいしばって我慢した。

① ご飯を食べていて舌を噛んでしまいました。

밥을 먹다가 혀를 (물었어요 / 깨물었어요).

② 犬が口にくわえているおもちゃを離しません。

개가 입에 (물고 / 깨물고) 있는 장난감을 안 놔요.

③ スルメを噛みながら映画を見るのが好きです。

오징어를 (깨물면서 / 씹으면서) 영화 보는 걸 좋아해요.

「腐る」は
썩다と상하다、どっち?

腐った牛乳を飲んでお腹を壊しました。

1 (썩은 / 상한) 우유를 먹고 배탈이
났어요.

解説

썩다	①腐敗する。見た目や臭いですぐ分かる状態。 例：썩는 냄새 腐った臭い 썩은 뿌리 腐った根 ②虫歯になる。 例：썩은 이(=충치 虫歯) 이가 썩었다 虫歯になった
상하다	【傷-】①食べ物が変質する。傷む。 例：상한 떡 腐った餅 상한 과일 傷んだ果物 ②体がやつれる。 例：상한 얼굴 やつれた顔

1. 상한

例　文

사과가 썩어서 못 먹고 버렸어요.

りんごが腐って食べられず、捨てました。

공원 벤치가 썩어서 위험하다.

公園のベンチが腐っていて危ない。

날이 따뜻해서 음식이 상하기 쉬워요.

暖かいから食べ物が傷みやすいです。

일이 힘들어서 얼굴이 많이 상했어요.

仕事が大変なので、顔がげっそりと痩せました。

もっと知りたい!

● 品物が傷んでいる場合は「〜에 흠(흠집)이 있다」と言います。

例 상자에 흠집이 있다
箱が傷んでいる

練習

① 少し傷んだようだけど、食べてもいいでしょうか?
조금 (썩은 / 상한) 것 같은데, 먹어도 될까요?

② 木の柱が腐らないように塗り直しました。
나무 기둥이 (썩지 / 상하지) 않도록 새로 칠했어요.

③ 腐る前に早めに食べてください。
(썩기 / 상하기) 전에 빨리 드세요.

「飲む」は、
마시다と삼키다どっち？

1 水を飲む。
물을 (마시다 / 삼키다).

2 唾を飲む。
침을 (마시다 / 삼키다).

解説

마시다	①液体を飲む。＊敬語は 드시다（召し上がる）。 例：물을 마시다 水を飲む ②空気や煙などを吸う。 例：공기를 마시다 空気を吸う 연기를 마시다 煙を吸う ＊「薬を飲む」は약을 마시다ではなく약을 먹다。
삼키다	①まるごと、ごくりと飲み込む。 例：알약을 삼키다 錠剤を飲む　침을 삼키다 唾を飲む ＊比喩的に「着服する」の意味もある。 例：남의 돈을 삼키다 お金を着服する ②（感情を）こらえる。 例：눈물을 삼키다 涙をこらえる

Answer

1. 마시다　2. 삼키다

아침에 일어나서 물을 마셔요.

朝起きて水を飲みます。

크게 웃다가 입속의 사탕을 삼킬 뻔했어요.

大きく笑った時、口の中の飴を飲み込むところでした。

맛있는 음식을 보고 꿀꺽 침을 삼켰어요.

おいしい料理を見て、唾をぐっと飲みました。

もっと知りたい!

● 「먹다」は「食べる／飲む」両方の意味を持っているので、물(水), 술(酒), 국(汁), 스프(スープ) などは「먹다 / 마시다」どちらも使えます。

例 우유를 먹다 / 마시다
  牛乳を飲む

  스프를 먹다 / 마시다
  スープを飲む

練 習

1
韓国では19歳からお酒を飲むことができます。
한국에서는 19세부터 술을 (마실/삼킬) 수 있습니다.

2
熱があったので解熱剤を飲んで寝ました。
열이 있어서 해열제를 (먹고/마시고) 잤어요.

3
兄がケーキを一口で飲み込んでしまいました。
오빠가 케이크를 한입에 (마셔/삼켜) 버렸어요.

「切る」は、
자르다と썰다と끊다どっち?

1 ［飲食店で、従業員にハサミで］お肉をちょっと切ってください。
고기 좀 (잘라 / 썰어) 주세요.

解説

자르다	カットする。物をさまざまな方向に分割する。 例：나무를 자르다 木を切る　종이를 자르다 紙を切る 머리를 자르다 髪を切る
썰다	切り刻む。物を薄くまたは細かく切る。 ＊主に料理の場面で使う。 例：파를 썰다 ネギを切る、刻む　김치를 썰다 キムチを切る　고기를 썰다 肉を切る
끊다	（続いているものを）断つ。 例：실을 끊다 糸を切る　연을 끊다 縁を切る　전기를 끊다 電気を止める　말을 끊다 話を切る（中断する）

Answer
1. 잘라

빵을 잘라 드릴까요?

パンをお切りしましょうか？

김치를 썰어서 김치찌개를 끓였다.

キムチを切ってキムチチゲを煮込んだ。

화가 나서 전화를 끊어 버렸어요.

腹を立てて電話を切ってしまいました。

もっと知りたい！

- 突き出ているものを刃物で切ることは「치다」と言います。

  例　머리를 짧게 쳐 주세요.
  髪を短く切ってください。

- 会社で「クビを切られる」は「회사에서 잘리다」、「チケットを切る（買う）」
  は「표를 끊다」と言います。

練　習

① 自分で木を切って椅子を作るそうです。
직접 나무를 (잘라 / 썰어 / 끊어) 의자를 만든대요.

② 材料を小さく切ってキムチチャーハンを作ってみました。
재료를 작게 (썰어서 / 끊어서) 김치볶음밥을 만들어
봤어요.

③ 彼とは連絡を切ってから何年か経っています。
그와는 연락을 (자른 지 / 끊은 지) 몇 년이나 지났어요.

「むく」は、
까다と깎다と벗기다どっち?

1 | リンゴをむく。
사과를 (깎다 / 벗기다).

解説

깎다	道具を使ってはぎ取る。 例：사과를 깎다 リンゴをむく 감자를 깎다 ジャガイモをむく
까다	道具を使わずに手ではがす。 例：귤을 까다 ミカンをむく　바나나를 까다 バナナをむく　양파를 까다 玉ねぎをむく ＊殻付きのナッツ類、밤 (栗)，호두 (クルミ) などに は「까다」を使う。
벗기다	①服を脱がす。脱がせる。 例：아이의 옷을 벗기다 子供の服を脱がす。＊「脱ぐ」は 벗다。 ②動物などの皮をめくる。はがす。 例：생선 껍질을 벗기다 魚の皮をむく 라벨 스티커를 벗기다 ラベルのシールをはがす ＊「껍질(皮)」には「벗기다」を使うことが多い。사과 껍질을 벗기다 リンゴの皮をむく

1. 깎다

연필 좀 깎아 주세요.

鉛筆をちょっと削ってください。

미안하지만 마늘 좀 까서 줄래?

悪いけど、ニンニクをむいてくれる?

조심스럽게 선물 포장을 벗겼어요.

丁寧にプレゼントの包装をはがしました。

●「あかすりをする」を以前は「때를 벗기다 (あかをむく)」と言いましたが、
今は「때를 밀다 (あかをこする)」ということが多いです。

例　찜질방에 가서 때를 밀었는데 너무 시원해!
チムジルバンに行ってあかすりをしたら、とても気持ちいい。

1　イカは皮をむいて茹でてください。
오징어는 껍질을 (까고/벗기고) 삶아 주세요.

2　果物をむいてジャムを作りました。
과일을 (깎아서/까서) 잼을 만들었어요.

3　玉ねぎをむいていたら泣いてしまいました。
양파를 (까다가/깎다가) 울고 말았어요.

「注ぐ」は、
따르다と붓다と쏟다どっち？

1 ワインをつぐ。
와인을 잔에 (따르다 / 붓다).

2 砂糖を容器に流し入れる。
설탕을 용기에 (따르다 / 붓다).

解　説

따르다	注ぐ。液体を少しずつ入れる。 例：술을 따르다 お酒を注ぐ　병에 참기름을 따르다 瓶にごま油を注ぐ
붓다	流し入れる。液体や粉をたっぷり注ぐ。 例：케이크 틀에 반죽을 붓다 ケーキ型に生地を流し込む ＊〈ㅅ変則〉부어요 / 부어서 / 부으세요
쏟다	大量に注ぐ。こぼす。 例：우유를 실수로 쏟았다. 牛乳をうっかりこぼした。 ＊쏟아지다（こぼれる）の形で使うことが多い。

Answer
1. 따르다　2. 붓다

例 文

맥주는 이 컵에 따르세요.

ビールはこのカップに注いでください。

용기에 밀가루를 부어 주세요.

容器に小麦粉を入れてください。

물을 쏟아서 바닥이 젖었다.

水をこぼして床がぬれた。

もっと知りたい!

● 「降り注ぐ、溢れ出す」は「쏟아지다」と言います。

例 갑자기 소나기가 쏟아졌다
突然にわか雨が降り出した。

컵이 쓰러져 맥주가 쏟아졌다.
カップが倒れてビールがこぼれた。

練 習

水をもう一杯注いでください。
① 물을 한 잔 더 (따라 / 쏟아) 주세요.

金魚鉢に水を注いだ。
② 어항에 물을 (부었다 / 쏟았다).

バッグがひっくり返って中の物がこぼれてしまいました。
③ 가방이 뒤집어져서 안의 물건들이 (부어졌어요 / 쏟
아졌어요).

「混ぜる」は、
비비다と섞다と젓다どっち?

1

ビビンバを混ぜる。
비빔밥을 (비비다 / 섞다 / 젓다).

解説

비비다	①2つ以上の材料を混ぜ合わせる。 例：짜장면을 비비다 ジャージャー麺を混ぜる ②こする。 例：손을 비비다 手をこする　옷을 비비다 服をこする
섞다	混ぜる。2つ以上の材料を混ぜて1つにまとめる。 例：우유에 코코아를 섞다 牛乳にココアを混ぜる　색깔을 섞다 色を混ぜる
젓다	かき混ぜる。2つ以上の材料を棒や手で動かして混ぜる。 ＊〈ㅅ変則〉저어요 / 저어서 / 저으세요 例：카레가 눌어붙지 않게 잘 저으세요. カレーがこびりつかないようによくかき混ぜてください。

例　文

손을 비누로 잘 비벼서 씻어라.

手を石鹸でよくこすって洗いなさい。

파스타 소스에 토마토를 넣었으니까 잘 섞으세요.

パスタソースにトマトを入れたので、よく混ぜてください。

커피는 설탕을 넣은 후에 잘 저어서 드세요.

コーヒーはよくかき混ぜて飲んでください。

もっと知りたい!

● 和えるは「무치다」で、主にナムルなどの料理で使います。

例
　콩나물을 무치다　豆もやしを和える

　양념을 무치다　　ヤンニョムを和える

● 水に少量の液体や砂糖などを入れて混ぜる時は「타다」を使います。

例
　커피에 설탕을 타다

　コーヒーに砂糖を入れる

練　習

① 音楽のジャンルを混ぜて新しく作った。
음악의 장르를 (비벼서 / 섞어서) 새롭게 만들었다.

② 麺が伸びる前に混ぜておくね。
면이 붇기 전에 (비벼 / 저어) 놓을게.

* 붇다 〈ㄷ変則〉ふやける、のびる

③ スープをかき混ぜると、汁が飛び散りました。
국을 (섞다가 / 젓다가) 국물이 튀었어요.

「煮る」は、
끓이다と삶다どっち?

1
肉を煮て〔ゆでて〕、切って食べます。
고기를 (끓여서 / 삶아서) 썰어 먹어요.

2
肉を入れて、スープを作ります。
고기를 넣고 국을 (끓여요 / 삶아요).

解　説

끓이다	沸かす。煮て料理する。 例：물을 끓이다 お湯を沸かす 국 / 죽 / 라면을 끓이다 スープ／お粥／ラーメンを作る ＊汁の量が十分ある（汁まで食べる）場合によく使う。
삶다	茹でる。水やお湯に入れて火を通す。 例：고기를 삶다 肉を茹でる　국수를 삶다 麺を茹でる 삶은 달걀 ゆで卵　빨래를 삶다 洗濯物を煮て（熱湯）消毒する

Answer
1. 삶아서　2. 끓여요

例 文

생일이라서 미역국을 끓였어요.
誕生日なので、わかめスープを作りました。

삶은 돼지고기를 썰어서 야채와 같이 먹었어요.
ゆで豚を切って野菜と一緒に食べました。

もっと知りたい!

● **데치다** 湯がく
> 例　시금치를 데치다 ほうれん草を湯がく　데친 오징어 ゆでイカ

● **조리다** 煮物／煮付けにする。汁を煮詰める
> 例　고기를 조리다 肉を煮込む　생선조림 魚の煮物

● **고다** 肉や骨を長く煮込む
> 例　소꼬리를 고다 牛のテールを煮る　곰탕 コムタン(煮込み+【湯】)

練 習

まず、鍋に水と豚肉、キムチを入れてよく煮てください。
1 우선 냄비에 물과 돼지고기, 김치를 넣고 푹 (끓이세요/삶으세요).

肉の煮汁を捨てないで、チゲに使うといいです。
2 고기를 (끓인/삶은) 물을 버리지 말고 찌개에 쓰면 좋아요.

パスタをゆでる間にソースを作ろう。
3 파스타를 (끓이는/삶는) 동안 소스를 만들자.

「走る」は、
달리다と뛰다 どっち?

Quiz

1

100メートル 走

100미터 (달리기 / 뛰기)

2

走ってはいけません。

(달려 / 뛰어) 다니면 안 돼요.

解説

달리다	駆ける。(前に)走っていく。 例：기차가 달리다 汽車が走る　달리기 かけっこ 달려가다 走っていく　달려들다 飛びかかる
뛰다	跳ぶ。ジャンプする。駆ける(뛰어가다＝달리다)。 例：강아지가 뛰다 子犬が走る　뛰어다니다 走り回る 뛰어놀다 遊び回る　뛰어들다 飛び込む

Answer

1. 달리기　2. 뛰어(달려다니다という単語はない)

아침마다 동네를 한 바퀴 달립니다. (뜁니다○)

毎朝、町を一周走ります。

전화를 받고 갑자기 뛰어나갔어요. (달려나갔어요○)

電話をもらって急に走って出ていきました。

뛰는 놈 위에 나는 놈 있다.

〈ことわざ〉走る者の上に飛ぶ者がいる（上には上がある）。

● 「足が速い」は「달리기를 잘하다」と言います。

例 어렸을 때부터 달리기는 잘했어요.
小さい頃から足は速かったです。

● 「対応が速い」は「발(이) 빠르다」と言います。

例 발 빠르게 해결하다
素早く解決する

1 走る車の中で外を見ます。
(달리는/뛰는) 차 안에서 밖을 봅니다.

2 公園に連れて行ったら、子供たちが喜んで走り回っています。
공원에 데려갔더니 아이들이 좋아서 (달려다녀요/
뛰어다녀요).

3 彼女は背が高いけど、走るのはあまり速くないです。
그녀는 키가 큰데 (달리기/뛰기)는 잘 못해요.

「押す」は、
누르다と밀다どっち?

1 インターホンを押す。
인터폰을 (누르다 / 밀다).

2 ドアを押す。
문을 (누르다 / 밀다).

解説

누르다	指などで、圧力を加える。 例：버튼을 누르다 ボタンを押す	
밀다	力を加えて、何かを動かそうとする。 例：등을 밀다 背中を押す 　　자전거를 밀다 自転車を押す	

Answer
1. 누르다　2. 밀다

아파요! 어깨를 세게 누르지 마세요.

痛いです！　肩を強く押さないでください。

상자를 이쪽으로 좀 밀어 주세요.

箱をこちらの方に少し押してください。

자동차가 펑크나서 밀고 갔어요.

車がパンクしたので、押して行きました。

もっと知りたい!

● 「はんこを押す」は「도장을 찍다」と言います。

例

요즘은 도장 찍을 일이 거의 없죠?

最近は、はんこを押す場面がほとんどないですよね?

練　習

1　ボタンを押すと画面が点灯します。

버튼을 (누르면 / 밀면) 화면이 켜집니다.

2　人を押すとけがをする可能性があるので、注意してください。

사람을 (누르면 / 밀면) 다칠 수 있으니 주의하세요.

3　何かありましたら緊急ベルを押してください。

무슨 일이 있으면 응급 벨을 (눌러 / 밀어) 주세요.

「送る」は、
부치다と보내다どっち？

Quiz

1 メールを送る。
메일을 (부치다 / 보내다).

解説

부치다	投函する。手紙や書類、小包などを出す。 例：나갈 때 편지 좀 부쳐 줄래? 出かけるときに手紙を出してくれる？
보내다	手紙、メール、気持ち、人などを送る。 例：생일 선물로 꽃을 보내려고요. 誕生日プレゼントに花を送ろうと思っています。

＊よりフォーマルな表現に발송하다(発送する)もある。宅配案内などでよく使う。
例：주문하신 상품을 발송했습니다. ご注文いただいた商品を発送しました。
＊「海外に住んでいる友達にキムチを送った」のニュアンスの違い：
「해외에 사는 친구에게 김치를 부쳤어요」は小包を出したという意味が強く、「해외에
사는 친구에게 김치를 보냈어요」はより気持ちが入っている表現になる。

Answer
1. 보내다

例文

항공편으로 부치고 싶은데요.

航空便で送りたいのですが。

담당자를 보내겠습니다.

担当者を送ります。

もっと知りたい!

● 「他の人に渡す、伝える、知らせる」は「전하다」と言います。

> 例 선물을 그녀에게 전했다.
> プレゼントを彼女に渡した。

● 「부치다」と「붙이다(付ける)」は発音が似ているので気を付けましょう!

> 例 소포에 주소 좀 붙여 줘!
> 小包に住所(送り状)を貼って!

練習

みなさんのご意見を送っていただければ幸いです。

1 여러분의 의견을 (부쳐 / 보내) 주시면 감사하겠습니다.

メールを送ったんだけど返信がないですね。

2 메일을 (부쳤는데 / 보냈는데) 답장이 없네요.

荷物を送る前に、住所と連絡先を確認しましたか?

3 짐을 (부치기 / 보내기) 전에 주소랑 연락처를 확인하셨어요?

「付ける」は、
붙이다と달다どっち？

1 エアコンを取り付ける。
에어컨을 (붙이다 / 달다).

2 写真を付ける。
사진을 (붙이다 / 달다).

解説

붙이다	物と物を直接くっつける。 例：벽에 포스터를 붙이다 壁にポスターを貼る 우표를 붙이다 切手を貼る

달다	物をぶら下げる、取り付ける。 例：간판을 달다 看板を取り付ける 여행 가방에 이름표를 달다 スーツケースに名札を付ける

Answer
1. 달다　2. 붙이다

例　文

접시가 깨져서 접착제로 붙였어요.
お皿が壊れたので接着剤でくっつけました。

의자 두 개를 붙여 주세요.
椅子2つをくっつけてください。

단추 좀 달아 주세요.
ボタンを付けてください。

もっと知りたい!

●「話しかける」は「말을 붙이다」と言います。

例　바빠 보여서 말도 못 붙였어요.
忙しそうで、話もかけられませんでした。

●SNSに「コメントをつける」は「댓글을 달다」と言います。

例　의견이 있으시면 댓글을 달아 주세요.
ご意見があればコメントしてください。

練　習

① 車に新しいナビを付けました。
차에 새로운 네비게이션을 (붙였어요 / 달았어요).

② 取り扱い注意のステッカーを貼ってください。
취급주의 스티커를 (붙여 / 달아) 주세요.

③ つけまつげをつけると目が大きく見えます。
속눈썹을 (붙이면 / 달면) 눈이 커 보여요.

「抜く」は、
빼다と뽑다どっち?

Quiz

1
ポケットから手を抜く。
주머니에서 손을 (빼다 / 뽑다).

2
白髪を抜く。
흰머리를 (빼다 / 뽑다).

解 説

빼다	①(異物を)抜く、取り除く、除外する。 例：풍선의 공기를 빼다 風船の空気を抜く 힘을 빼다 力を抜く　얼룩을 빼다 染みを抜く ②引く。例：뺄셈 引き算　2에서 1을 빼다 2から1を引く
뽑다	固定されているものを力で引き抜く。 例：털을 뽑다 毛を抜く　풀을 뽑다 草を取る 뿌리를 뽑다 根っこを取る(慣用的に「根本を無くす」と いう意味がある)

＊「歯を抜く」「血を抜く」は빼다と뽑다どちらでもOK。
例：이를 빼다 / 뽑다, 피를 빼다 / 뽑다

Answer
1. 빼다　2. 뽑다

어려운 문제는 빼고 쉬운 문제만 풀었어요.

難しい問題は除いて簡単な問題だけ解きました。

내 국은 소고기 빼고 주세요.

私のスープは牛肉抜きでお願いします。

벽에 박힌 못을 뽑아야 해요.

壁に刺さっているくぎを抜かなければなりません。

● 「본전을 뽑다」は「元を取る」という意味です。(直訳は「本銭を抜く」)

例 무한리필이니까 본전을 뽑아야지!

食べ放題(無限リフィル)だから元を取らなくては!

1 父の白髪を抜いてあげました。
아버지의 흰머리를 (빼 / 뽑아) 드렸어요.

2 庭の雑草を取りました。
정원의 잡초를 (뺐어요 / 뽑았어요).

3 私を除いて〔私以外は〕みんなゲーム機を持っています。
나만 (빼고 / 뽑고) 모두 게임기를 가지고 있어요.

「痩せる」は、
살이 빠지다と살을 빼다どっち?

Quiz

具合が悪くて痩せた〔体重が減った〕。

1 아파서 (살이 빠졌다 / 살을 뺐다).

解 説

살이 빠지다	体重が減る。何かが原因で結果的に痩せる。 ＊直訳は、살(肉)＋빠지다(落ちる) (=마르다 痩せ細る, 야위다 やつれる) (⇔살이 찌다 太る)
살을 빼다	体重を減らす。努力をして痩せる。 ＊直訳は、살(肉)＋빼다(落とす) (=다이어트하다 ダイエットする, 체중을 줄이다 体重を減らす) (⇔살을 찌우다 太らせる、체중을 늘리다 体重を増やす)

Answer

1. 살이 빠졌다

요즘 식욕이 없어서 조금 살이 빠진 것 같다.

最近食欲がなくて少し痩せたみたいだ。

아플 때 빠진 살은 금방 다시 쪄요.

具合が悪い時に減った体重は、すぐ戻ります。

다이어트로 살을 빼는 데 성공했어요.

ダイエットで痩せることに成功しました。

너는 살을 빼지 않아도 지금 그대로가 예뻐.

君は痩せなくても今のままがきれいだよ。

夏になる前に痩せようと思う。

1　여름이 되기 전에 (살을 빼려고 / 살이 빠지려고) 한다.

恋をすると自然と痩せる。

2　사랑을 하면 저절로 (살을 뺀다 / 살이 빠진다).

今年の目標は運動をして痩せることだ。

3　올해의 목표는 운동을 해서 (살을 빼는 / 살이 빠지는) 것이다.

「選ぶ」は、
고르다と뽑다どっち？

1 今日着る服を選ぶ。
오늘 입을 옷을 (고르다 / 뽑다).

2 ソウル市の市長を選ぶ。
서울시 시장을 (고르다 / 뽑다).

解　説

고르다	違いをよく見て選ぶ。選び分ける。 例：선물을 고르다 贈り物を選ぶ 　　불량품을 고르다 不良品を選ぶ
뽑다	①抜く。（くじを）引く。＊p. 122も参照。 例：풀을 뽑다 草を抜く　제비 뽑기 くじ引き ②選出する。選び出す。 例：대통령을 뽑다 大統領を選ぶ 　　사원을 뽑다 社員を採る

Answer
1. 고르다　2. 뽑다

例　文

아내가 좋아하는 것만 골라서 주문했어요.

妻の好きなものだけ選んで注文しました。

오늘은 우리 반 반장을 뽑는 날이에요.

今日はクラス委員長を選ぶ日です。

몇 개 뽑아 봤는데, 이 중에서 하나 골라 주세요.

何個か選び出してみましたが、この中から1つ選んでください。

もっと知りたい!

● 「선택하다【選択-】」もよく使います。

練　習

会員のみんなは彼を代表に選んだ。
1
회원들 모두가 그를 대표로 (골랐다 / 뽑았다).

正しい単語を選んで空欄に書き入れなさい。
2
알맞은 단어를 (골라서 / 뽑아서) 빈칸에 써 넣으세요.

会食があるのに、店をまだ選べていないです。
3
회식이 있는데, 가게를 아직 못 (골랐어요 / 뽑았어요).

靴を一足プレゼントしたいんだけど、選んでみてください。
4
신발을 하나 사 주고 싶은데 (골라 / 뽑아) 보세요.

「触る」は、
만지다と손대다と건드리다どっち?

私の猫は触る(触られる)ことが好き。

1 우리 고양이는 (만져 / 손대 / 건드려) 주는 걸 좋아해.

解説

만지다	手で触る。＊握ったりいじる場合。 例：만지는 습관 触る習慣　뱀을 만지다 ヘビを触る
손대다	手で触れる。手を付ける。手を出す。(=손을 대다) 例：작품에 손대다 作品に触れる　주식에 손대다 株に手を出す
건드리다	何かに触る。障る。＊主に悪い結果の場合。 例：잘못 건드리다 変なところに触る　신경을 건드리다 神経に触る

1. 만져(만져 주다 触ってくれる／あげる)

아기가 엄마 팔을 만지면서 잠이 들었다.

赤ちゃんがママの腕を触りながら寝た。

이마에 손을 대 보니까 열이 있었어요.

額を触ってみると熱がありました。

꽃병을 건드려서 깨뜨렸어요.

花瓶を触って割りました。

● 「만지지 마 / 손대지 마 / 건드리지 마」の違いを確認しておきましょう。

例
만지지 마세요. 触らないでください。

손대지 마세요. 手を触れないでください。

건드리지 마세요. 放っておいてください。

1
触ってみてください。本当に柔らかいです。

(만져 / 손대 / 건드려) 보세요. 정말 부드러워요.

2
誰かが自分の物を触ることが好きではありません。

누가 내 물건에 (만지는 / 손대는 / 건드리는) 것을 안
좋아합니다.

3
個人的な問題は触れない方がいいです。

개인적인 문제는 (만지지 / 손대지 / 건드리지) 않는
게 좋아요.

「叩く」は、
때리다と치다と두드리다どっち？

Quiz

1 拳で壁を叩く。
주먹으로 벽을 (치다 / 때리다).

解説

때리다	（強く）叩く。主に人を殴って痛めつけること。 （⇔맞다 叩かれる） 例：뺨을 때리다 頬を打つ
치다	物や人を叩いて音を出したり、衝撃を与えること。 例：어깨를 치다 肩を叩く　사람을 치다 人を叩く 박수를 치다 拍手をする
두드리다	物や人を軽く何回も叩いて音を立てる。 例：문을 두드리다 ドアを叩く 등을 두드리다 背中を叩く ＊노크하다 ノックする

＊두드리다 ＜ 치다 ＜ 때리다 ＜ 패다（殴る）
　弱　　 ←　　強度　　 →　　 強

Answer

1. 치다

애들은 서로 때리면서 싸우기도 해요.

子供たちはお互いに殴り合いもします。

이번 시즌의 첫 홈런을 쳤다. (때렸다○)

今シーズンの初ホームランを打った。

어깨 좀 두드려 줄래?

悪いけど、肩を叩いてくれる?

- **멍 때리다** ぼーっとする

  例 수업 시간에는 멍 때리지 마세요!
  授業中、ぼーっとしないでください!

- **뼈 때리다** ストレートに言う

  例 그의 뼈 때리는 조언에 나는 정신이 번쩍 들었다.
  彼の率直なアドバイスに私は我に返った。

1 ハングルキーボードを打つのは時間がかかります。
  한글 자판을 (치는/때리는) 것은 시간이 걸려요.

2 女が主人公の頬を引っぱたいた!
  여자가 주인공 뺨을 (때렸어/쳤어)!

3 ドアを叩く音で目が覚めました。
  문을 (치는/두드리는) 소리에 잠이 깼어요.

「倒れる」は、넘어지다と 쓰러지다と무너지다どっち？

1 過労で倒れる。
과로로 (넘어지다 / 쓰러지다).

解説

넘어지다	①転ぶ。 例：돌에 걸려서 넘어지다 石に引っかかって転ぶ ②人や物が斜めに傾いて倒れる。 例：전봇대가 넘어지다 (쓰러지다○) 電信柱が倒れる
쓰러지다	①倒れる。持っていた力を失い倒れる。 例：술에 취해서 쓰러지다 酔っぱらって倒れる ②企業や国家などが本来の機能を失う。 例：회사가 쓰러지다 会社が倒れる
무너지다	崩れる。建物などが横に倒れたり、ばらばらになる。 例：건물이 무너지다 建物が崩れる

Answer
1. 쓰러지다

例　文

사람들에게 밀려서 넘어졌어요.

人に押されて転んでしまいました。

이번 폭풍으로 많은 나무가 쓰러졌어요.

今回の嵐で多くの木が倒れました。

지진으로 많은 건물이 무너진 것 같아요.

地震で多くの建物が崩れたようです。

もっと知りたい!

● **넘어뜨리다 ~を突き倒す**

例　친구를 밀어서 넘어뜨리다　友達を押し倒す

● **쓰러뜨리다 ~を倒す。相手を倒す**

例　바람이 나무를 쓰러뜨리다　風が木を倒す

● **무너뜨리다 ~を崩す、壊す**

例　오래된 다리를 무너뜨리다　古い橋を壊す

練　習

1　急にめまいがして倒れました。

갑자기 현기증이 나서 (쓰러졌어요 / 무너졌어요).

2　階段で足を踏み外して倒れるところでした。

계단에서 발을 헛딛고 (넘어질 / 쓰러질) 뻔했어요.

3　工事中に建物が倒れたそうです。

공사 중에 건물이 (넘어졌대요 / 무너졌대요).

「塗る」は、
バルダと칠하다どっち?

1
顔にローションを塗る。
얼굴에 로션을 (바르다 / 칠하다).

2
壁にペンキを塗る。
벽에 페인트를 (바르다 / 칠하다).

解説

바르다	ローション、オイルなど液体状のものを塗る。 ＊〈르変則〉발라요 塗ります 例：약을 바르다 薬を塗る　버터를 바르다 バターを塗る　핸드크림을 바르다 ハンドクリームを塗る
칠하다	【漆-】色鉛筆や筆などで色や塗料を塗る。（＝색칠하다） 例：색연필로 칠하다 色鉛筆で塗る　물감을 칠하다 絵の具を塗る

＊口紅、マニキュア類は、塗ると同時に色もつくので 바르다 / 칠하다どちらも使えます。
例：립스틱을 바르다 / 칠하다 マニキュアを 바르다 / 칠하다

Answer
1. 바르다　2. 칠하다

어떡해! 선크림 바르는 것을 잊어버렸어.

しまった! 日焼け止めを塗るのを忘れた。

김에 참기름을 발라서 구우면 맛있어요.

のりにごま油を塗って焼くとおいしいです。

벽은 무슨 색으로 칠할 겁니까?

壁は何色で塗るつもりですか?

밤하늘은 검은색 크레용을 칠한 듯이 깜깜했다.

夜空は黒いクレヨンを塗ったように暗かった。

1 食パンにいちごジャムを塗って食べます。

식빵에 딸기 잼을 (발라서 / 칠해서) 먹어요.

2 ここは何色で塗ろうかな?

여기는 무슨 색으로 (바를까 / 칠할까)?

3 傷に軟膏を塗りました。

상처에 연고를 (발랐어요 / 칠했어요).

「落ちる」は、
떨어지다と빠지다どっち?

1
湖に、おのが落ちる。
호수에 도끼가 (떨어지다 / 빠지다).

2
花びらが川の上に落ちる。
꽃잎이 강물 위로 (떨어지다 / 빠지다).

解　説

떨어지다	①一般的な意味の「落ちる」。 例：그릇이 바닥에 떨어지다 食器が床に落ちる 시험에 떨어지다 試験に落ちる ②離れる 例：부모와 떨어져서 살다 親と離れて住む
빠지다	①水などに落ちる。溺れる。状態に陥る。はまる。 例：물에 빠지다 水に落ちる　사랑에 빠지다 恋に落ちる　위험에 빠지다 危険に陥る ②抜ける。 例：근육이 빠지다 筋肉が落ちる 리스트에서 이름이 빠지다 リストから名前が落ちる

Answer　1. 빠지다　2. 떨어지다

例文

창문에서 떨어질 뻔했어요.

窓から落ちるところでした。

요즘 그 사람의 인기가 떨어지고 있어요.

最近、その人の人気が落ちています。

함정에 빠지지 않게 조심해요.

わなにはまらないように気を付けてください。

もっと知りたい！

次の表現も覚えておきましょう。
● 바닥에 떨어뜨리다 床に落とす　　● 물에 빠뜨리다 水に落とす
● 화장이 지워지다 化粧が落ちる　　● (염색) 물이 빠지다 色落ちする
● 흘러내리다 流れ落ちる / 滑り落ちる

練習

大会予選で落ちました。
① 대회 예선에서 (떨어졌어요 / 빠졌어요).

落ちている葉っぱを拾いました。
② (떨어진 / 빠진) 나뭇잎을 주웠어요.

一目惚れして恋に落ちました。
③ 첫눈에 반해서 사랑에 (떨어졌습니다 / 빠졌습니다).

「取りかえる」は、
交換하다と바꾸다と갈다どっち?

1
友達とプレゼントを交換する。
친구와 선물을 (교환하다 / 갈다).

2
スタイルを変える。
스타일을 (교환하다 / 바꾸다).

3
部品を取り換える。
부품을 (바꾸다 / 갈다).

解 説

교환하다	【交換-】交換する。お互い引き換える。 例：사이즈를 교환하다 サイズを交換する
바꾸다	変える。替える。雰囲気やデザインなどを変化させる。 例：차를 바꾸다 車を替える　헤어스타일을 바꾸다 ヘアスタイルを変える
갈다	（部品などを）新しいものに取り換える。（＝교체하다 交替する） 例：형광등을 갈다 蛍光灯を交換する　건전지를 갈다 乾電池を交換する

Answer
1. 교환하다　2. 바꾸다　3. 갈다

例 文

이 옷은 세일 상품이라서 교환할 수 없습니다.

この服はセール商品なので交換できません。

팬클럽 친구와 아이돌 사진을 교환할 거예요. (바꿀 거예요○)

ファンクラブの友達とアイドルの写真を交換するつもりです。

오만 원짜리를 만 원짜리로 바꿔 주세요.

5万ウォン札を1万ウォン札に両替してください。

부품을 하나만 갈면 쓸 수 있어요.

部品を1つだけ取り換えれば使えます。

練 習

① 髪の色を変えてみたのですが、どうですか?
머리 색깔을 (바꿔/갈아) 봤는데 어때요?

② 不良品なので交換していただけますか?
불량품이니까 (교환해/갈아) 주시겠어요?

③ 掃除機のフィルターを取り替えました。
청소기의 필터를 (바꿨어요/갈았어요).

「のせる」は、
太우다と싣다どっち？

1 トラックに荷物を載せる。
트럭에 짐을 (태우다 / 싣다).

解 説

태우다	乗せる。人や動物を車や飛行機などに乗せる。 例：아기를 유모차에 태우다 赤ちゃんをベビーカーに乗せる ＊「乗る」は타다。
싣다	①載せる。積む。荷物や物を運送手段に載せる。 （⇔내리다下ろす） 例：이삿짐을 싣다 引越しの荷物を載せる　박스를 싣다 ボックスを載せる ＊〈ㄷ変則〉실어요 / 실어서 / 실으세요 ②記事を載せる。 例：기사를 싣다 記事を載せる 광고를 싣다 広告を載せる

1. 싣다

例 文

역까지 좀 태워 주세요.

駅までちょっと乗せてください。

부상자를 구급차에 태워 보냈습니다.

負傷者を救急車に乗せて送りました。

차에 짐을 실어서 옮겼어요.

車に荷物を載せて運びました。

もっと知りたい!

● 上に何かをのせる時は「얹다」を使います。

例 선반에 짐을 얹어 놓으세요.
棚に荷物を載せておいてください。

딸기는 아이스크림 위에 얹어 주세요.
イチゴはアイスクリームの上にのせてください。

練 習

1 その遊覧船は乗客を乗せて出発した。
그 유람선은 승객들을 (태우고 / 싣고) 출발했다.

2 荷物は後ろのトランクに積んでください。
짐은 뒤 트렁크에 (태워 / 실어) 주세요.

3 車に妹を乗せて気持ちよくドライブしました。
자동차에 여동생을 (태우고 / 싣고) 기분 좋게 드라이브했어요.

「逃げる」は、
도망치다と피하다どっち?

1 嫌なことから逃げる。
싫은 일을 (도망치다 / 피하다).

2 宝石を盗んで逃げる。
보석을 훔쳐서 (도망치다 / 피하다).

解説

도망치다	【逃亡-】捕まらないように逃げる。 (= 도망가다 / 달아나다) 例：도둑이 도망치다 泥棒が逃げる 해외로 도망치다 海外に逃げる ＊ -로부터/에서 도망치다で「〜から逃げ出す」といった 意味。
피하다	【避-】回避する。面倒なことや嫌なことから逃れる。 例：사람을 피하다 人を避ける 대답을 피하다 答えを避ける 책임을 피하다 責任を逃れる

Answer
1. 피하다　2. 도망치다

例　文

교장 선생님을 보고 아이들이 도망쳤어요.

校長先生を見て子供たちが逃げました。

사람들의 눈을 피해서 도망쳤어요.

人目を避けて逃げました。

피하지 말고 끝까지 책임을 지세요.

逃げないで最後まで責任を取ってください。

もっと知りたい!

- 避難を促す場合は「대피하다【待避-】」を使います。

  例　쓰나미입니다! 지금 당장 대피하십시오!
  　　津波です!　今すぐ逃げてください。

- 「ひき逃げ」は「뺑소니」、「食い逃げ」は「먹튀」です。
  ＊먹고 튀다(食べて逃げる)の略語。

練　習

① 動物園から逃げたライオンがやっと捕まりました。
　동물원에서 (도망친 / 피한) 사자가 겨우 잡혔어요.

② 友達に助けられて困難な状況から逃げられました。
　친구의 도움으로 곤란한 상황을 (도망칠 / 피할) 수
　있었어요.

③ 現実から逃げ出したいです。
　현실로부터 (도망치고 / 피하고) 싶어요.

「見る」は、보다と
쳐다보다と바라보다どっち?

じっと見ているので気分が悪いです。

1 계속 (**쳐다봐서** / **바라봐서**) 기분
나빠요.

解説

보다	一般的な意味の「見る」。目で対象の存在や形などを把握する。 例：그림을 보다 絵を見る
쳐다보다	じっと見る。見上げる。 例：뭘 쳐다보고 있어? 何をじっと見てるの?
바라보다	感情を込めて見つめる。眺める。観察する。 例：창밖을 바라보다 窓の外を眺める 자신을 바라보다 自分を見つめる

Answer
1. 쳐다봐서

例 文

지금 보고 있는 사진 속 여자는 누구야?

今見ている写真の女の人は誰?

멍하게 하늘을 쳐다보고 있다.

ぼーっと空を見ている。

두 사람이 서로를 바라보고 있었다.

二人がお互いに見つめ合っていた。

もっと知りたい!

● 他にもいろいろな「보다」があります。

例
지켜보다 見守る
살펴보다 観察する、探る、確かめる
(돌)보다 面倒を見る、世話をする
훑어보다 ざっと見る

練 習

どちらがより効率的かを見ていました。

① 어떤 것이 더 효율적인지 (보고／바라보고) 있었습니다.

教師の立場で見てください。

② 교사의 입장에서 (쳐다보세요／바라보세요).

変な人がしきりに見ています。

③ 이상한 사람이 자꾸 (지켜봐요／바라봐요／쳐다봐요).

「育てる」の
기르다と키우다は、どう違う？

1 子を育てる。
아이를 (기르다 / 키우다).

2 夢を育てる。
꿈을 (기르다 / 키우다).

解 説

기르다	養う。飼う。長さを伸ばす。 例：습관을 기르다 習慣をつける　새를 기르다 鳥を飼う　꽃을 기르다 花を育てる　머리를 기르다 髪を伸ばす
키우다	育む。飼う。力を伸ばす。大きくする。増やす。 ＊「크다（大きくなる）」の使役形。かさや量と関連する場合。 例：회사를 키우다 会社を育てる　꽃을 키우다 花を育てる　개를 키우다 犬を飼う　체격을 키우다 体を大きくする

1. 기르다 / 키우다 (両方OK) 2. 키우다

아기를 기르기 위해서 회사를 그만두었어요. (키우기○)

赤ちゃんを育てるために会社を辞めました。

머리를 길러 보고 싶어요.

髪を伸ばしてみたいです。

생각하는 힘을 키우려고 책을 많이 읽어요. (기르려고○)

考える力を伸ばすために本をたくさん読みます。

●**가꾸다** (趣味として)花や植物を育てる

例 꽃을 가꾸다 花を育てる　마당을 가꾸다 庭を手入れする

●**자라다** 育つ／伸びる

例 아이가 자라다 子供が育つ　키가 자라다 背が伸びる

1 すばらしい選手をたくさん育てましたね。
훌륭한 선수들을 많이 (기르셨군요 / 키우셨군요).

2 会社を育てるのには投資が必要です。
회사를 (기르는 / 키우는) 데는 투자가 필요합니다.

3 おしゃれをしたくて爪を伸ばしてみた。
멋을 내고 싶어서 손톱을 (길러 / 키워) 봤다.

「書く」は、
쓰다と적다とユ리다どっち？

1
小説を書く。
소설을 (쓰다 / 적다 / 그리다).

解説

쓰다	全般的な「書く」。 例：글씨를 쓰다 文字を書く　편지를 쓰다 手紙を書く 글을 쓰다 文を書く　책을 쓰다 本を書く
적다	メモを取る（＝메모하다）。記入する（＝기입하다）。記す。 例：용건을 적다 要件を書く　주소를 적다 住所を書く ＊적다は全て쓰다に置き換えられる。
그리다	描く。 例：그림을 그리다 絵を描く 지도를 그리다 地図を描く

Answer

1. 쓰다

例　文

소설을 쓰는 데 10년이나 걸렸습니다.

小説を書くのに10年もかかりました。

글씨를 예쁘게 잘 쓰시네요.

字を書くのがお上手ですね。

잊으면 안 되는 용건을 수첩에 적어요.

忘れてはいけない要件を手帳に書きます。

교과서 속 위인의 얼굴에 수염을 그렸어요.

教科書の偉人の顔にひげを描きました。

練　習

1. 買うものをメモ用紙に書きました。
   사야 할 것을 메모지에 (적었어요 / 그렸어요).

2. 私が描いた絵が入賞しました。
   제가 (쓴 / 적은 / 그린) 그림이 입상했습니다.

3. 明日までにレポートを書かなければなりません。
   내일까지 레포트를 (써야 해요 / 적어야 해요).

「開ける」は、
열다と내다どっち?

Quiz

1

南に窓を開ける〔作る〕。

남쪽으로 창문을 (열다 / 내다).

2

朝、窓を開ける。

아침에 창문을 (열다 / 내다).

解説

열다	一般的な意味の「開ける」。(⇔닫다 閉める) 例：문을 열다 ドアを開ける　자물쇠를 열다 錠を開ける 가게를 열다 店を開ける／開く　열쇠로 열다 鍵で開ける
내다	(通して)開ける。仕切りになっているものを取り除く。 例：길을 내다 道を開ける　구멍을 내다 穴をあける 가게를 내다 店を出す

Answer

1. 내다　2. 열다

例 文

상자를 열고 내용물을 확인했어요

箱を開けて中身を確かめました。

넘어져서 바지에 구멍을 내고 말았어요.

転んでズボンに穴をあけてしまいました。

역 앞에 김밥 가게를 열고 싶어요. (내고○)

駅前にキンパの店を開きたいです。

もっと知りたい!

● 「눈을 뜨다(目を開ける)」も覚えておきましょう。

例 눈을 뜨세요. 目を開けてください。

아침에 눈을 떠 보니까 11시였어요. 朝、目を開けると11時でした。

● 「사이를 벌리다(間を空ける)」、「책을 펴다(本を開く)」もあります。

練 習

① ふたを開けてください。
뚜껑을 (열어/내) 주세요.

② スーパーは10時にオープンします。
마트는 10시에 문을 (엽니다/냅니다).

③ 壁に穴を開けて、外を見られるようにしました。
벽에 구멍을 (열어서/내서) 밖을 볼 수 있게 했다.

「閉じる」「閉める」は、
닫다? 잠그다?

1 引き出しを閉める。
서랍을 (**닫다** / **잠그다**).

2 ドアを閉める〔鍵をかける〕。
열쇠로 문을 (**닫다** / **잠그다**).

解 説

닫다	一般的な意味の「閉める」。(⇔열다 開ける) 例：뚜껑을 닫다 ふたを閉める　문을 닫다 ドアを閉める 가게를 닫다 店を閉じる(日本語と同様に「廃業」の意味 もある)
잠그다	開かないように鍵をかける。ロックする。 例：가방을 잠그다 カバンを閉める　가스를 잠그다 ガ スを閉める　열쇠로 잠그다 鍵をかける　지퍼를 잠그다 ファスナーを閉める

1. 닫다　2. 잠그다

가게 문 닫을 시간이 다 됐으니까 내일 갑시다.

そろそろ閉店時間だから、明日行きましょう。

비가 오니까 창문을 닫아 주시겠어요?

雨が降っているから、窓を閉めていただけませんか。

화가 나서 방문을 잠가 버렸다.

怒って部屋のドアの鍵をかけてしまった。

もっと知りたい!

● 「눈을 감다(目を閉じる)」も覚えておきましょう。

例　눈을 감으세요. 目を閉じてください。

너무 무서워서 눈을 감고 말았어요. 怖すぎて目を閉じてしまいました。

● 「책을 덮다(本を閉じる)」、「우산을 접다(傘を閉じる)」、「봉지를 묶다 (袋を閉じる)」もあります。

練　習

パン屋は早く店を閉めます。

① 빵집은 일찍 문을 (닫아요 / 잠가요).

引き出しを閉めて鍵をかけました。

② 서랍을 (닫고 / 잠그고) 열쇠로 (닫았어요 / 잠갔어요).

玄関のドアの鍵をかけていない気がして、不安です。

③ 현관문을 (닫지 / 잠그지) 않은 것 같아서 불안해요.

「出る」は、
나가다と나오다と나다どっち？

Quiz

1 じんましんが出る。
두드러기가 (나오다 / 나다).

解説

나오다	内側から外に出てくる。 例：방에서 나오다 部屋から出る 텔레비전에 나오다 テレビに出る
나가다	①ある場所から外に出ていく。 例：집을 나가다 家を出る ②参加する。例：시합에 나가다 試合に出る ＊「나오다」「나가다」は話す人がどこにいるかを考えて使い分ける。
나다	①発生する。生じる。 例：기억이 나다 思い出す　화가 나다 怒りが湧く ②空く。例：자리가 나다 空きが出る ＊慣用表現で使われることが多い。

새 앨범은 언제 나와요?

新しいアルバムはいつ出ますか?

점심 시간에 학교에서 나가던데요.

昼休みの時、学校から出ていったんですよ。

어제 일 기억이 나요?

昨日のこと覚えてますか?

● 기사(記事), 눈물(涙), 기침(せき), 웃음(笑い)には「나다 / 나오다」の
両方を使うことができます。

> 例 기침이 많이 나와서(나서) 회의 도중에 나왔어요.
> 咳がいっぱい出てきた(出た)ので会議の途中で出ました。

● 「나다」には「태어나다(生まれる)」の意味もあります。

> 例 부산에서 나고 서울에서 자라서 사투리는 쓰지 않아요.
> 釜山で生まれ、ソウルで育ったので、方言は使いません。

申し訳ありませんが、空席が出たら連絡いたします。

1 죄송합니다만, 빈자리가 (나가면 / 나면) 연락 드리
겠습니다.

その商品はたまに出てくるのですが、人気があるのですぐ出ます
〔売れます〕。

2 그 물건은 가끔 (나오는데 / 나가는데) 인기가 많아
서 금방 (나와요 / 나가요).

「寝る」は、
자다と눕다どっち？

1　このベッドに寝てみてもいいですか?
이 침대에 (자 / 누워) 봐도 돼요 ?

解説

자다	①寝る、眠る（睡眠状態）。（=잠들다 眠る、寝入る） 例：푹 자다 ぐっすり寝る　낮잠을 자다 昼寝をする ＊尊敬語는주무시다（お休みになる）。「居眠りする」は 졸다。 ②泊まる。（=묵다 / 숙박하다 宿泊する） 例：호텔에서 자다 ホテルで泊まる
눕다	横になる。＊睡眠状態ではない。 例：소파에 눕다 ソファーで横になる

1. 누워

例　文

밤새 잘 자서 기분이 개운해요.

一晩中よく寝たので気分がスッキリしています。

엄마. 오늘은 친구 집에서 자고 올게요.

ママ。今日は友達の家に泊まって帰りますね。

잠깐 누워서 쉬려고 했는데 자 버렸어요.

ちょっと横になって休むつもりが、寝てしまいました。

もっと知りたい!

● 「仰向けになる」は「위를 향해 눕다」、「うつ伏せになる」は「엎드리다」です。

練　習

1
ベッドで横になって本を読みました。
침대에 (자서/누워서) 책을 읽었어요.

2
静かに!　赤ちゃんが寝ているよ。
조용히 해! 아기가 (자고 있어/누워 있어).

3
眠れなくて寝ながら〔横になりながら〕羊を数えました。
잠이 안 와서 (자서/누워서) 양을 셌어요.

「起こす」は、
깨우다と일으키다どっち?

1 寝ている子を起こす。
자는 아이를 (깨우다 / 일으키다).

2 転んだ子を起こす。
넘어진 아이를 (깨우다 / 일으키다).

解説

깨우다	眠っていたり、酔っぱらっている人（の意識）を起こす。 例：자는 사람을 깨우다 寝ている人を起こす 기절한 사람을 깨우다 気絶した人を起こす
일으키다	①横になっていたり、座っている人の体を起こす。 例：환자를 일으키다 患者を起こす ②（問題や事件などを）引き起こす。 例：문제 / 사고를 일으키다 問題／事故を起こす

Answer
1. 깨우다 2. 일으키다

내일은 시험이니까 일찍 깨워 주세요.

明日は試験だから早く起こしてください。

경찰이 술 취한 사람을 깨워서 집에 보냈어요.

警察が酔っぱらいを起こして家に帰らせました。

앉아 있는 할머니를 일으켜 드렸어요.

座っているおばあちゃんを起こしてあげました。

누워 있는 아이를 엄마가 일으켰어요.

横になっている子をお母さんが起こしました。

- 「깨다 (覚める)」と일어나다 「起きる」の違いを確認しておきましょう。

  例 5시에 **깼지만** 침대에서 **일어난** 것은 6시다.
  5時に目が覚めたが、ベッドから起きたのは6時だ。

1 [手を伸ばして] 私を起こしてくれる?
   나 좀 (깨워 / 일으켜) 줄래?

2 居眠りしている隣の席の人を起こしました。
   졸고 있는 옆자리 사람을 (깨웠어요 / 일으켰어요).

3 寝ている子供を起こさないでください。
   자고 있는 아이를 (깨우지 / 일으키지) 마세요.

「消す」は、
끄다と지우다どっち?

1
電灯を消す。
전등을 (끄다 / 지우다).

2
黒板を消す。
칠판을 (끄다 / 지우다).

解 説

끄다	火、電気などを消す。電源を切る。(⇔켜다 つける) 例：불을 끄다 火を消す、電気を消す 전원을 끄다 電源を切る 엔진을 끄다 エンジンを切る
지우다	書かれたものなどを消す。汚れを落とす。 例：낙서를 지우다 落書きを消す 기록을 지우다 記録を消す 얼룩을 지우다 染みを落とす 메이크업을 지우다 メイクを落とす

1. 끄다 2. 지우다

추워서 에어컨을 껐어요.

寒いのでエアコンを消しました。

스마트폰의 전원을 꺼 주십시오.

スマートフォンの電源をお切りください。

나중에 지울 수 있게 연필로 썼어요.

後で消せるように鉛筆で書きました。

용량이 부족해서 필요 없는 파일을 지웠어요.

容量が不足していたので、必要ないファイルを消しました。

1　部屋を出る時、明かりを消してください。
방을 나갈 때 불을 (꺼 / 지워) 주세요.

2　ボールペンで書いたら消せません。
볼펜으로 쓰면 (끌 / 지울) 수 없어요.

3　消火器で火を消します。
소화기로 불을 (끕니다 / 지웁니다).

「洗う」は、
씻다と빨다どっち?

Quiz

1 ぶどうを洗う。
포도를 (씻다 / 빨다).

2 掛け布団を洗う。
이불을 (씻다 / 빨다).

解説

씻다	①表面に付いた汚れを水できれいに取る。 例：손을 씻다 手を洗う　야채를 씻다 野菜を洗う 쌀을 씻다 お米をとぐ　그릇을 씻다 皿を洗う ②晴らす。例：죄를 씻다 罪をはらす
빨다	服などの布類を水と洗剤で汚れを取る。 例：옷을 빨다 服を洗う　커튼을 빨다 カーテンを洗う

Answer
1. 씻다　2. 빨다

먹기 전에 손을 깨끗이 씻으세요.

食べる前に手をきれいに洗ってください。

나쁜 기억은 빨리 씻어 버리는 게 좋아요.

悪い記憶は早く洗い流す方がいいです。

이 옷은 담배 냄새가 배어서 빨아야겠어요.

この服はタバコの臭いがするので、洗わないといけないですね。

●「씻다」には「体を洗う、シャワーを浴びる」の意味もあります。

例 먼저 씻을게!

先にお風呂に入るね!

●「髪を洗う」は「머리를 감다」と言います。

例 저는 언제나 아침에 머리를 감아요.

私はいつも朝、髪を洗います。

1 自分の使ったお皿は自分で洗いな。

자기가 먹은 그릇은 자기가 (씻어라 / 빨아라).

2 1日の疲れを洗い流すためにまずシャワーを浴びる。

하루의 피로를 (씻어 / 빨아) 내기 위해 먼저 샤워를 한다.

3 洗濯していたら、ポケットからお金が出ました。

옷을 (빠는데 / 씻는데) 주머니에서 돈이 나왔어요.

「話す」は、이야기하다と 말하다と수다 떨다どっち？

Quiz

1
昔の話をする。
옛날 (이야기를 / 말을) 하다.

2
ゆっくり話してください。
천천히 (말해 / 수다 떨어) 주세요.

解説

이야기 (를) 하다	話す。話を伝える。（=얘기하다） 例：재미있는 이야기를 하다 面白い話をする 꿈 이야기를 하다 夢の話をする ＊「昔ばなし」は옛날이야기。
말 (을) 하다	話す。言葉を発する。＊尊敬語は말씀하시다 （おっしゃる）。 例：외국어를 말하다 外国語を話す 혼자서 말하다 一人で話す
수다 (를) 떨다	おしゃべりをする。雑談する。＊女子会でおしゃべりするようなイメージ。 例：밤새 수다 떨다 一晩中おしゃべりする ＊「おしゃべり」は수다쟁이。

Answer
1. 이야기를　2. 말해

例　文

한국어를 배워서 한국 사람과 이야기하고 싶어요.
韓国語を習って韓国人と話したいです。

목이 아파서 말할 수 없어요.
喉が痛くて話すことができません。

마이크 테스트입니다. 뭔가 말해 보세요.
マイクテストです。何か言ってみてください。

친구와 수다 떨어서 스트레스가 풀렸다.
友達とおしゃべりしてストレスが解消した。

もっと知りたい！

● 「말하다」は間接話法（文章内で他の発言を引用する場合）では、말を省略することが多いです。

例　A: 뭐라고 (말)했어요?　　B: 한국에 간다고 (말)했어요.
何と言いましたか？　　　韓国に行くと言いました。

練　習

聞き取れませんでした。もう一度言ってください。
1 못 들었어요. 다시 한번 (말해 / 수다 떨어) 주세요.

先生はいつも優しく話します。
2 선생님은 항상 상냥하게 (이야기하세요 / 수다 떠세요).

おしゃべりに夢中で宿題ができなかった。
3 (말하느라고 / 수다 떠느라고) 숙제를 못 했다.

「置く」は、
두다と놓다どっち?

Quiz

1
テーブルに置く。
테이블에 (놓다 / 두다).

2
引き出しに置く。
서랍에 (두다 / 놓다).

解 説

두다	置く。しまっておく。 例：책을 책장에 두다 本を書棚に置く 마음에 두다 心に置く(心に留める) 거리를 두다 距離を置く　시간을 두다 時間を置く
놓다	①手から放す。例：이 손 놓으세요. この手を離してください。 ②物を一時的に置く。例：여기에 놓으세요. ここに置いてください。거기 놔둬! そこに置いておいて! ③設置する。例：집에 김치냉장고를 놓다 家にキムチ冷蔵庫を設置する

＊日常会話では区別せずに使うこともよくある。

Answer
1. 놓다　2. 두다

안 쓰는 물건은 창고에 모아 두고 있어요.
使わない物は倉庫に置いています。〔ずっと置いてある状態〕

열쇠 어디에 놨어?
鍵どこに置いた?〔鍵を動かして置いた〕　　＊놨어：놓았어の縮約。

음악을 틀어 놓고 공부해요.
音楽を流しておいて勉強します。〔設置した〕

●「冷蔵庫に入れて置いた」の2つの意味を確認しておきましょう。
냉장고에 넣어 놓았어(놨어). 入れておいた。〔一時的〕
넣어 두었어(뒀어). より長い時間その状態である。〔保管〕

1　カップは食卓の上に置いてください。
컵은 식탁에 (둬/놓아) 주세요.

2　電話をもう1つ設置しなければなりませんね。
전화기를 하나 더 (두어야/놓아야)겠네요.

3　トイレットペーパーは収納(押し入れ)に置いてください。
화장지는 수납장에 (두세요/놓으세요).

4　少し時間を置いて考えてみてください。
잠시 시간을 (두고/놓고) 생각해 봐요.

「出す」は、
내다と꺼내다どっち?

1 カバンから財布を取り出す。
가방에서 지갑을 (내다 / 꺼내다).

2 先生に宿題を提出する。
선생님께 숙제를 (내다 / 꺼내다).

解 説

내다	①出す。提出する。（=제출하다） 例：원서를 내다 願書を出す　안건을 내다 案件を出す 문제 / 퀴즈를 내다 問題／クイズを出す ②支払う。 例：돈을 내다 お金を払う 수업료를 내다 授業料を払う
꺼내다	しまっていたものを外に取り出す。（⇔넣다 入れる） 例：필통에서 연필을 꺼내다 筆箱から鉛筆を取り出す 지갑에서 돈을 꺼내다 財布からお金を取り出す 말을 꺼내다 / 이야기를 꺼내다 話を切り出す

1. 내다　2. 꺼내다

例 文

식사비는 사장님께서 내 주셨습니다.

食事代は社長が支払ってくださいました。

문제를 다 풀었으면 시험지를 내세요.

問題を全部解いたら、試験用紙を提出してください。

선반 위의 짐을 꺼내 주시겠어요?

棚の上の荷物を (取り) 出していただけますか?

봉지에서 사탕을 하나 꺼내서 아이에게 줬어요.

袋から飴を1つ取り出して子供にあげました。

練 習

演説文をポケットから出して読みました。
1
연설문을 주머니에서 (내서 / 꺼내서) 읽었습니다.

申込書はいつまでに出せばいいですか?
2
신청서는 언제까지 (내야 / 꺼내야) 합니까?

その中に何が入っているのか全部出してみてください。
3
그 안에 뭐가 들어있는지 전부 (내 / 꺼내) 봐요.

「返す」は、
돌려주다と갚다どっち?

Quiz

1 借りたペンを返す。
빌린 펜을 (돌려주다 / 갚다).

2 借りたお金を返す。
빌린 돈을 (돌려주다 / 갚다).

解説

돌려주다	もらったり借りたそのものを返す。(=반납하다【返納-】返却する) 例：커플링을 돌려주다 カップルリングを返す 빌린 물건을 돌려주다 借りたものを返す
갚다	借りたお金や恩などを返す。 ＊借りたものそのままを返すのではなく、同等の価値のあるもので返す。 例：대출금을 갚다 貸出金を返す 은혜를 갚다 恩を返す　원수를 갚다 仇を打つ

Answer
1. 돌려주다　2. 갚다

지난주에 빌린 우산을 돌려주러 왔어요.
先週、借りた傘を返しにきました。

빌린 손수건을 빨아서 돌려줬어요.
借りたハンカチを洗って返しました。

학자금 대출을 다 갚으려면 시간이 걸려요.
学資金ローンを全部返すには時間がかかります。

이 은혜를 어떻게 갚으면 좋을지 모르겠네요.
この恩をどうやって返せばいいか分かりません。

1　この前貸したネックレスを返してください。
지난번에 빌려준 목걸이를 (돌려주세요 / 갚으세요).

2　月給をもらったらお金を返します。
월급을 받으면 돈을 (돌려줄게요 / 갚을게요).

3　友達が私の時計を持っていて返してくれません。
친구가 내 시계를 가져가서 (돌려주지 / 갚지) 않아요.

「取る」は、
집다と잡다と줍다どっち?

1

リモコン、ちょっと取ってくれる?

리모콘 좀 (집어 / 잡아) 줄래?

解説

집다	つまむ。指や箸などの道具で持ち上げる。 例：연필을 집다 鉛筆を取る　젓가락으로 반찬을 집다 箸でおかずを取る
잡다	つかむ。手にしっかり持って離さない。 例：운전대를 잡다 ハンドルをつかむ　범인을 잡다 犯人 を捕まえる　택시를 잡다 タクシーを捕まえる ＊집다 / 잡다 ⇔ 놓다 放す
줍다	拾う。落ちている物を手で取り上げる。 例：쓰레기를 줍다 ごみを拾う

Answer

1. 집어

例 文

책꽂이에 있는 많은 책 중에서 하나를 집었다.

本棚にあるたくさんの本の中から1冊を手に取った。

길고양이가 쥐를 잡았어요.

野良猫がネズミを捕まえました。

길에서 동전을 주웠대요.

道で小銭を拾ったそうです。

もっと知りたい!

● 「歳を取る」は「나이가 들다」と言います。

例 나이가 들수록 생각이 많아지는 거 같아요.

年齢を重ねるにつれて、考えが多くなるようです。

練 習

① そこに落ちてるハンカチ取ってくれる?
거기 떨어져 있는 손수건 좀 (주워/잡아) 줄래?

② あっ! 危ないから、手すりにしっかりつかまって。
아!! 위험하니까 손잡이를 꽉 (잡아/집어).

③ 本をちょっと取って、カバンに入れて。
책 좀 (집어서/잡아서) 가방에 넣어 줘.

「用意する」は、
準비하다と장만하다どっち?

Quiz

必要な家電はそろいましたか?

1 필요한 가전제품은 (준비했어요 /
장만했어요)?

解　説

준비하다	支度する。準備する。 例：식사를 준비하다 食事を用意する 시험을 준비하다 試験の準備をする 결혼을 준비하다 結婚の準備をする
장만하다	必要なものを買ったり作ってそろえ、整えておく。 (=마련하다 用意する) 例：집을 장만하다 家を用意する 겨울 옷을 장만하다 冬服を用意する

Answer

1. 장만했어요

例　文

생일 선물로 뭘 준비할 거야?
誕生日プレゼントに何を用意する?

10월에 볼 토픽을 준비하고 있다.
10月に受けるTOPIKの準備をしている。

음식 재료를 장만하려고 마트에 들렀어요.
食材を用意しようとスーパーに立ち寄りました。

もっと知りたい!

●こまごまとした身の回りの物を用意する場合は「챙기다」を使います。

例
우산을 챙기다 傘を用意する

열쇠를 챙기다 鍵を用意する

●「体に気を付けてください」は「몸 잘 챙기세요」と言います。

練　習

エアコンが古いので新しく用意したいです。
1　에어컨이 오래돼서 새로 (장만하고 / 준비하고) 싶어요.

父はすでに定年退職を準備していました。
2　아버지는 이미 정년퇴직을 (준비하고 / 장만하고) 계셨어요.

引越しの時に家具を新しく用意しようかと思います。
3　이사할 때 가구를 새로 (장만할까 / 준비할까) 해요.

「許す」は、
허락하다と허가하다どっち?

1

親が結婚を許す。

부모가 결혼을 (허락하다 / 허가하다).

2

政府が輸入を許可する。

정부가 수입을 (허락하다 / 허가하다).

解 説

허락하다	【許諾-】個人的に許可する。(=승낙하다【承諾-】) 例 : 부모가 아이의 여행을 허락하다 親が子の旅行を許可する ＊「許可を得る」は허락받다。
허가하다	【許可-】公的に許可する。(=승인하다【承認-】) 例 : 시가 건축을 허가하다 市が建築を許可する ＊「許可を得る」は허가받다。「許可証」は허가증。

1. 허락하다　2. 허가하다

담임 선생님께서 조퇴해도 된다고 허락하셨어요.
担任の先生が早退してもいいと許可されました。

아버님, 따님과의 결혼을 허락해 주십시오.
お父様、お嬢さんとの結婚を許可してください。

이곳은 주최 측이 허가한 차만 주차할 수 있습니다.
ここは主催側が許可した車だけが駐車できます。

もっと知りたい!

● 「용서하다(〔過ちに対して〕許す)」と「봐주다(大目に見る)」も確認しておきましょう。

例 잘못을 용서해 주십시오. 한 번만 봐주세요.
過ちを許してください。一度だけ大目に見てください。

練 習

妹に私の服を着てもいいと許した。
① 동생에게 내 옷을 입어도 된다고 (허락했다 / 허가했다).

政府が新薬の販売を許可しました。
② 정부가 신약의 판매를 (허락했습니다 / 허가했습니다).

外で遊んでいいとママが許してくれたよ。
③ 밖에서 놀아도 된다고 엄마가 (허락해 / 허가해) 주셨어.

「忘れる」は、
잊어버리다と잃어버리다どっち?

Quiz

약속을 忘れる。

1 약속을 (잃어버리다 / 잊어버리다).

解 説

잊어버리다	うっかり忘れる。思い出せない。(=까먹다, 깜박하다 うっかりする、度忘れする) 例 : 배운 것을 잊어버리다 習ったことを忘れる 길을 잊어버리다 道を思い出せない
잃어버리다	なくす。落とす。失う。(=분실하다 紛失する) 例 : 면허증을 잃어버리다 運転免許証を落とす 기억을 잃어버리다 記憶を失う 길을 잃어버리다 道に迷う、迷子になる

Answer

1. 잊어버리다

여행 중에 길을 잃어버려서 고생했어요.

旅行中に道に迷って苦労しました。

비밀번호를 잊어버렸어요.

パスワードを忘れてしまいました。

지갑을 잊어버리고 안 가져왔어.

財布を忘れて持ってきていない。

● 「忘れてきた／置き忘れる」は「두고 오다 / 두고 내리다」と言います。

例　핸드폰을 집에 두고 왔어요.

携帯を家に忘れてきました。

우산을 지하철에 두고 내렸어요.

傘を地下鉄に忘れて降りました 。

クレジットカードをなくして、新しく発行しなければなりません。

1　신용 카드를 (잃어버려서/잊어버려서) 새로 발급해
야 해요.

パスポートをかばんに入れたのを忘れて、あちこち探した。

2　여권을 가방에 넣은 것을 (잃어버리고/잊어버리고)
여기저기 찾았다.

たまに薬を飲むのを忘れることがある。

3　가끔 약 먹는 것을 (잃어버릴/잊어버릴) 때가 있다.

「思い出す」は、
生각나다と생각하다どっち?

寝る前に今日のことを思い出す。

1 자기 전에 오늘 일 (이 생각나다 /
을 생각하다).

写真を見て、そのことを思い出す。

2 사진을 보고 그 일 (이 생각나다 /
을 생각하다).

解説

생각나다	思い出す。考えつく。(思いついて)欲しくなる。 例：누나가 생각나다 姉を思い出す 해결 방법이 생각나다 解決方法を思いつく 술이 생각나다 酒が欲しい ＊ - 이 / 가 생각나다, 생각이 나다の形で使う。
생각하다	考える。思う。思い出す。 例：옛날 일을 생각하다 昔のことを思い出す 그때를 생각하고 싶지 않다 その時を思い出したくない ＊ - 을 / 를 생각하다, 생각을 하다の形で使う。

Answer
1. 을 생각하다　2. 이 생각나다

바다를 보면 우리가 처음 만났을 때가 생각나요.

海を見ると、私たちが初めて出会った時を思い出します。

어제 일이 하나도 생각나지 않아요.

昨日のことは何も思い出せません。

딸을 생각하면 웃음이 나요.

娘を思い出すと笑顔になります。

● 「기억나다【記憶 -】」は忘れていたことを思い出す場合使います。

例 약속이 기억나다 約束を思い出す 기억 안 나다 思い出せない

● 似ている表現に「생각이 들다」があります。直訳すると「思いが入る」です。

例 이야기를 듣고 가 보고 싶다는 생각이 들었다.
話を聞いて、行ってみたいとふと思った。

1
目を閉じて昔のことを思い出してみてください。
눈을 감고 옛일 (이 생각나 / 을 생각해) 보세요.

2
しばらくたって、やっと彼の名前を思い出した。
한참 지나서 그 사람 이름이 겨우 (생각났다 / 생각했다).

3
私たちがどう別れたか思い出せますか。
우리가 어떻게 헤어졌는지 (생각나요 / 생각해요)?

「経験する」は、
경험하다と겪다どっち?

1
文化を経験する。
문화를 (경험하다 / 겪다).

2
悲しみを経験する〔望んでない苦しいこと〕。
슬픔을 (경험하다 / 겪다).

解説

경험하다	【経験-】いろいろなことを実際に（誰かに）されたり（自分で）やってみる。 例：변화를 경험하다 変化を経験する 간접적으로 경험하다 間接的に経験する 새로운 경험을 해 보고 싶다. 新しい経験をしてみたい。
겪다	大変なことや苦しい目に遭う。体験する。 例：어려움을 겪다 困難を経験する 전쟁을 겪다 戦争を経験する

Answer
1. 경험하다　2. 겪다

외국인들이 한국 생활을 경험해 보고 싶어해요.
外国人が韓国生活を経験してみたがっています。

할머니는 어릴 때 경험하셨던 이야기를 들려주셨
다.
祖母は幼い頃に経験した話を聞かせてくれた。

경제적 어려움을 겪었어요.
経済的に苦労しました。

●特別なことなどを身体で直接経験することを「체험하다」と言います。

例　여행을 통해 다른 나라의 문화를 몸으로 체험했다.
旅行を通して他の国の文化を(体で)体験した。

留学をすることで、新しいことを経験できました。

① 유학을 하면서 새로운 것들을 (경험하게 / 겪게) 되
었어요.

大変なことを経験して、より強くなりました。

② 힘든 일을 (경험하고 / 겪고) 더 강해졌어요.

社会生活を経験して、大人になった気がします。

③ 사회생활을 (경험하고 / 겪고) 어른이 된 것 같아요.

「混む」は、
복잡하다と막히다どっち?

Quiz

人が多いので、混んでいます。

1 **사람이 많아서 (복잡하다 / 막히다).**

解 説

복잡하다	【複雑-】①人、物、施設などが混み合っている。 例：길이 복잡하다 道が混んでいる ②複雑である。 例：머리가 복잡하다 頭が混乱している
막히다	①事故、故障、工事などで道や通路などが通れない。渋滞する。 例：길이 막히다 道が混んでいて動かない ②詰まる。 例：화장실이 막히다 トイレが詰まる 기가 막히다 あきれる（気が詰まる）

1. 복잡해요

例 文

도쿄역은 항상 복잡하다.
東京駅はいつも混んでいる。

물건이 복잡하게 진열되어 있어서 사고 싶은 걸 찾
을 수가 없어요.
商品が複雑に陳列されていて、買いたいものが見つかりません。

보통 토요일에는 길이 많이 막혀.
だいたい土曜日は道がすごく混む。

もっと知りたい!

●人で混み合っている時は「혼잡하다, 붐비다」を使うこともあります。

例　지하철이 혼잡하다 / 붐비다.
地下鉄が混雑している。

練 習

混んでいる道を避けて、遠回りして行くしかないようだ。

1　(복잡한 / 막히는) 길을 피해서 돌아가는 수밖에 없
겠다.

店がとても混んでいて入れなかったです。

2　가게가 너무 (복잡해서 / 막혀서) 들어갈 수 없었어요.

予想外の質問で彼女は言葉が詰まった。

3　예상하지 못한 질문에 그녀는 말이 (막혔다 / 복잡했
다).

「壊れる」は、
고장나다と망가지다どっち?

Quiz

1
コンピューターが壊れる〔故障する〕。
컴퓨터가 (고장나다 / 망가지다).

2
メガネが壊れる。
안경이 (고장나다 / 망가지다).

解説

고장나다	【故障-】機械などが部分的にきちんと動かない。修理すれば直る。 例：자동차가 고장나다 車が故障する 　　→ タイヤや機械などのトラブル。 ＊「고장하다」とは言わない。
망가지다	壊れる。総体的な異常。修理しても元に回復できない可能性が高い。 例：자동차가 망가지다 車が壊れる 　　→ 事故で大破する。

Answer
1. 고장나다　2. 망가지다

갑자기 텔레비전이 고장났어요.

急にテレビが壊れました。

열심히 만든 레고가 다 망가졌어요.

せっかく作ったレゴが全部壊れてしまいました。

● **割れて壊れた場合は「깨지다」を使います。**

例
태풍으로 창문이 깨졌어요.
台風で窓ガラスが割れました。

● **「망가지다」は物の他、人、社会、思想などさまざまな対象に使います。**

例
몸이 망가졌어요. 体型が壊れました。

관계가 망가졌어요. 関係が壊れました。

1
交通事故でバイクが完全に壊れてしまった。
교통사고로 오토바이가 완전히 (망가졌다 / 고장났다).

2
信号機が壊れて赤信号が出なかった。
신호등이 (고장나서 / 망가져서) 빨간불이 들어오지
않았다.

3
携帯が壊れたので修理に出しました。
핸드폰이 (고장나서 / 망가져서) 수리를 보냈어요.

「連れていく」は、
데리고 가다と모시고 가다どっち?

Quiz

子供を連れていく。

1 아이를 (데리고 가다 / 모시고 가다).

両親を連れていく。

2 부모님을 (데리고 가다 / 모시고 가다).

解 説

데리고 가다	友達や動物を含む、誰／何かを連れていく。 ＊데리다 (連れる)＋가다 (行く) (＝데려가다) 例：친구를 데리고 가다 友達を連れていく
모시고 가다	目上の人を連れていく(お連れする)。 ＊모시다 (お供する)＋가다 (行く) (＝모셔가다) 例：할아버지를 병원에 모시고 가다 おじいちゃんを 病院に連れていく

＊「連れてくる」は、데리고 오다，모시고 오다。
＊韓国では身内でも目上の人のことについて尊敬語を使う。その方がより上品な言い方になる。

Answer
1. 데리고 가다　2. 모시고 가다(데리고 가다でもOKだが、모시고 가다の方が上品な言い方)

누나가 동생을 놀이터에 데리고 갔어요.

姉が弟を公園に連れていきました。

다음에 친구를 데리고 와도 돼요?

今度、友達を連れてきてもいいですか?

어머니는 매일 공원에 개를 데리고 가요.

お母さんは毎日公園に犬を連れていきます。

선생님이 부모님을 모시고 오라고 했어요.

先生から親を連れてくるように言われました。

① 私もそこに連れていってください。
저도 거기에 (데리고/모시고) 가 주세요.

② すてきなカフェに友達を連れていきました。
멋진 카페에 친구를 (데리고/모시고) 갔어요.

③ 両親を連れてドライブしました。
부모님을 (데리고/모시고) 드라이브했어요.

「気付く」は、
눈치채다と깨닫다どっち？

1

親の愛に気付く。

부모님의 사랑을 (눈치채다 / 깨닫다).

解説

눈치채다	その場で察する。 （＝알아채다，알아차리다 気付く、見破る） ＊눈치（勘）＋채다（気付く） 例：거짓말을 눈치채다 うそに気付く 이변을 눈치채다 異変に気付く
깨닫다	（真実を）悟る。（本質に）気付く。 ＊〈ㄷ変則〉깨달으면 悟ったら／깨달아요 悟ります 例：가족의 소중함을 깨닫다 家族の大切さに気付く 진리를 깨닫다 真理を悟る ＊「悟り」は깨달음。

＊日本語では「〜に気付く」だが、韓国語では-을/를 눈치채다 (깨닫다)」になるので
助詞に注意!

1. 깨닫다

마술사의 트릭을 눈치챘어요.

手品師のトリックに気付きました。

아무도 내 실수를 눈치채지 못했겠지?

誰も私のミスに気付いてないだろうな。

어머니의 사랑과 희생을 깨닫고 눈물이 났어요.

母の愛と犠牲に気付いて涙が出ました。

● 「気が付いたら、〜だ」は「정신(을) 차려 보니까 〜이다」で表します。「정신 차리다」は、정신(精神)＋차리다(気付く)で「気を取り戻す」の意味です。

> 例　정신을 차려 보니까 침대였어요.
> 気が付いたらベッドでした。

妻が夫が隠していたへそくり〔非常金〕に気付きました。

1 아내가 남편이 감춰둔 비상금을 (눈치챘어요/깨달았어요).

別れた後、本当の愛に気付きました。

2 헤어지고 난 후 진정한 사랑을 (눈치챘습니다 / 깨달았습니다).

「けんかする」は
싸우다と다투다どっち？

1

優勝を争うライバル

우승을 (다투는 / 싸우는) 라이벌

2

試合に出て戦う。

시합에 나가서 (싸우다 / 다투다).

解 説

싸우다	言葉や力、または武器などを使って勝とうとする。戦う。闘う。 ＊対象は人間、動物、環境など幅広く、다투다に比べて暴力性がある。＊名詞は싸움。 例：사람 (병 , 환경) 과 싸우다 人 (病気、環境) と戦う 부부 싸움 夫婦げんか
다투다	①人との意見や理解の対立で言い争う。もめる。 例：말다툼 口げんか　큰소리로 다투다 大声で口論する ②競う。(＝겨루다 / 경쟁하다 競争する) ＊ - 을 / 를 다투다の形で使う。 例：순위를 다투다 順位を競う

1. 다투는　2. 싸우다

인류는 오랫동안 자연과 싸우며 살아왔다.
人類は長い期間、自然と闘いながら生きてきた。

호랑이하고 사자가 싸우면 누가 이길까?
トラとライオンが戦ったら、どちらが勝つかな?

남자 친구와 별것 아닌 일로 다투었어요.
彼氏とつまらないことで口論になりました。

- ことわざに「고래 싸움에 새우 등 터진다.(鯨のけんかで海老の背がやぶれる。)」があり、「とばっちりを受ける(強いもののけんかの中で弱いものが被害を受ける)」の意味で使われます。
- 「전쟁(戦争)」も覚えておきましょう。

  例　이웃 나라와 전쟁하다 隣国と戦争する
  입시 전쟁 受験戦争(入試戦争)　교통 전쟁 交通戦争

1. 今は1分1秒を争っています。
   지금은 일분일초를 (다투고/싸우고) 있어요.

2. スタントマンが戦うシーンをリアルに演技した。
   스턴트맨이 (다투는/싸우는) 장면을 실감나게 연기했다.

「やめる」は、
그만두다と끊다どっち?

1 会社を辞める。
회사를 (그만두다 / 끊다).

2 お酒をやめる。
술을 (그만두다 / 끊다).

解 説

그만두다	続けていたことをやめる。辞める。(⇔계속하다 続ける) 例：일을 그만두다 仕事を辞める
끊다	①習慣性や中毒性のあるものを絶つ。 例：술 / 담배 / 마약을 끊다 酒／タバコ／麻薬をやめる ②切る、絶つ。 例：전화를 끊다 電話を切る　연락을 끊다 連絡を絶つ

Answer
1. 그만두다　2. 끊다

도중에 그만두지 말고 끝까지 계속하세요.

途中でやめないで最後まで続けてください。

직장을 그만두고 세계여행을 가기로 했어요.

職場を辞めて世界旅行に行くことにしました。

아버지는 담배를 끊은 후 건강해지셨어요.

父はタバコをやめた後、健康になりました。

그 사람하고는 연락을 끊었어요.

その人とは連絡を絶ちました。

1 甘い物をやめないと痩せません。
단것을 (그만두지 / 끊지) 않으면 살이 안 빠져요.

2 今やっているバイトを辞めたくありません。
지금 하고 있는 알바를 (그만두고 / 끊고) 싶지 않아
요.

3 韓国語の勉強は絶対にやめません。
한국어 공부는 절대 (그만두지 / 끊지) 않을 거예요.

「分ける」は、
나누다と가르다どっち?

Quiz

1 勝敗を分ける。
승패를 (나누다 / 가르다).

2 色別に分ける。
색깔별로 (나누다 / 가르다).

解説

나누다	一般的な意味の「分ける」。分類する。分け合う。 例：3개로 나누다 3つに分ける　크기별로 나누다 大きさ別に分ける　나눠 주다 分配する　나누어 갖다 分けて取る
가르다	①刃物で切り分ける。分けて別々にする。 例：사과를 반으로 가르다 りんごを半分に分ける 팀을 가르다 チームを分ける ②決める。 例：승부를 가르다 勝負を分ける　운명을 가르다 命運を分ける

Answer
1. 가르다　2. 나누다

양이 충분히 있으니까 두 번에 나누어 먹읍시다.
量が十分あるから、2回に分けて食べましょう。

가위바위보로 편을 갈랐어요. (나눴어요○)
ジャンケンでチームを分けました。

기쁨은 나누면 배가 되고 슬픔은 나누면 반이 된다.
喜びは分け合うと倍になり、悲しみは分け合うと半分になる。

●「分ける」には「쪼개다」もあります。硬い物を割って分ける場合、時間や
お金を節約する場合に使います。

例　센베이를 쪼개서 먹다
せんべいを割って食べる

시간을 쪼개서 공부하다
時間を割いて勉強する

1　この選択が勝敗を分けるでしょう。
이번 선택이 승패를 (나눌/가를) 것입니다.

2　みんなに均等に分けたいです。
모두한테 똑같이 (나눠/갈라) 주고 싶어요.

3　人の性格は何種類かに分けられます。
사람의 성격은 몇 가지로 (나눌/가를) 수 있어요.

「変わる」は、
バ뀌다と변하다どっち?

Quiz

1 名前が変わる
이름이 (바뀌다 / 변하다).

2 愛が変わる
사랑이 (바뀌다 / 변하다).

解説

바뀌다	元々あったものが別のものに変わる。＊一瞬で変わるイメージ。 例：화면이 바뀌다 画面が変わる　제목이 바뀌다 タイトルが変わる
변하다	色、形、性質などが変わる。（=달라지다，변화하다 変化する）＊徐々に変わるイメージ。 例：성격이 변하다 性格が変わる　기후가 변하다 気候が変わる

＊「바뀌다」と「변하다」は同じ意味で使われる場合も多い。
例：마음이 변하다 / 바뀌다 心が変わる
식성이 변하다 / 바뀌다 食べ物の好み（食性）が変わる

Answer
1. 바뀌다　2. 변하다

뉴스의 아나운서가 다른 사람으로 바뀌었네요.
ニュースのアナウンサーが違う人に変わりましたね。

한국 여성은 결혼 후에도 성이 바뀌지 않아요.
韓国の女性は結婚後にも苗字が変わりません。

군대를 제대한 그는 멋진 남자로 변해 있었다.
軍隊を除隊した彼は立派な男性に変わっていた。

우리 우정은 영원히 변하지 않을 거예요.
私たちの友情は永遠に変わらないでしょう。

1 洋服屋が花屋に変わりました。
옷가게가 꽃가게로 (바뀌었어요 / 변했어요).

2 思春期が始まったおいの声が変わりました。
사춘기가 시작된 조카의 목소리가 (바뀌었어요 / 변
했어요).

3 今年から会社のロゴが変わりました。
올해부터 회사의 로고가 (바뀌었어요 / 변했어요).

「合わせる」は、
맞추다と합치다どっち?

Quiz

1
目を合わせる。
눈을 (맞추다 / 합치다).

2
力を合わせる。
힘을 (맞추다 / 합치다).

解説

맞추다	①ばらばらになっている部分を合わせる。 例：깨진 조각을 맞추다 割れているパーツを合わせる 입을 맞추다 口を合わせる（口裏を合わせる／キスする） 발을 맞추다 足並みをそろえる ②ある基準に合わせる。 例：규격에 맞추다 規格に合わせる　시간에 맞추다 時間に合わせる *「合う」は맞다。맞춤법(正書法)は正しい字の表記方法。つづり方。
합치다	いくつかのものを一つに合わせる。 例：전부 합치다 全部合わせる　마음을 합치다 心を合わせる　살림을 합치다 家計を合わせる（一緒に暮らす）

1. 맞추다　2. 합치다

남동생은 퍼즐 조각을 맞추는 것을 좋아해요.

弟はパズルのピースをはめる（合わせる）ことが好きです。

아이의 여름 방학에 맞춰서 휴가를 냈어요.

子供の夏休みに合わせて休暇を取りました。

이거 다 합쳐서 얼마예요?

これ、全部合わせていくらですか？

● 「手を合わせる」は「모으다（集める）」を使って「두 손을 모으다」と言います。

例　두 손 모아 기도해요.
　　手を合わせてお祈りします。

①　時間に合わせて出発します。
　　시간에 (맞춰서 / 합쳐서) 출발하겠습니다.

②　この建物は 安全基準に合わせて建てられました。
　　이 건물은 안전 기준에 (맞추어 / 합쳐) 지어졌습니다.

③　みんなの力を合わせて、この危機を克服しましょう。
　　모두 힘을 (맞춰서 / 합쳐서) 이 위기를 극복합시다.

「失敗した」は、
実패했다と実수했다どっち？

締切を1日間違えてた…失敗した〔ミスった〕。

1 ## 마감 날짜를 하루 잘못 알았다...
(실패했다 / 실수했다).

解説

실패하다	【失敗 -】願っていた結果を得られなかったり、完成できないこと。（⇔성공하다 成功する） ＊名詞は실패。 例：사업에 실패하다 事業に失敗する
실수하다	【失手 -】間違いをする。ミスする。 ＊名詞は실수。 例：실수하지 않도록 조심하세요. 間違わないように気を付けてください。

Answer　1. 실수했다(日本語では「失敗した／ミスった」を区別せずに使う場合もあるが、韓国語では「실패했다」とは言わない)

例 文

그 계획은 결국 실패로 끝났다.

その計画は結局失敗に終わった。

잘하던 일도 가끔 실수할 때가 있군요.

上手にできていたことでも、たまにミスする時があるんですね。

もっと知りたい！

● 「滅びた、台無しになった、だめになった」の場合は「망했다」(망하다
【亡-】の過去形)を使います。

> 例　회사가 망했다.
> 会社が破産した。
>
> 이번 시험 망했어!
> 今回の試験、ダメだった！

練 習

1　彼は事業の失敗で全財産を失った。
그는 사업의 (실패／실수)로 전 재산을 잃었다.

2　彼はたった一度のミスでゲームに負けた。
그는 단 한 번의 (실패／실수)로 게임에서 졌다.

3　公演中に振り付けを忘れるミスをしました。
공연 중에 안무를 잊어버리는 (실패／실수)를 했어요.

4　先輩の話を聞いておけばよかった…失敗した。
선배 말을 들었으면 좋았을 텐데…(실패했다／실수
했다).

あいさつの使い分け

朝昼夜はこれでバッチリ

いつでも使えるあいさつは「안녕하세요?〔ため口では안녕?〕」ですが、時間や場面によってさまざまなあいさつがあります。ここではその違いを見てみましょう。

★朝

起きて間もない時間帯の「おはようございます」には、「안녕히 주무셨어요? / 잘 잤어요?」を使います。直訳すると「安寧にお休みになりましたか？／良く寝ましたか？」です。その後、家の外で誰かに会った時は「안녕하세요?」が無難です。また、会社に出勤して同僚に会った際には「좋은 아침입니다」もよく使われます。

★昼

お昼には、「식사하셨어요?」などが定番です。「食事なさいましたか？」という意味ですが、別に相手がご飯を食べたかどうかを確認するために聞くのではありません。単純にあいさつなので「네,〔相手〕도 식사하셨어요?」と返せばいいでしょう。

★夜

「おやすみなさい」の「안녕히 주무세요 / 잘 자요」は、寝る前に使います。恋人の間柄なら愛を込めて（主に電話やメールで寝る直前に）「내 꿈 꿔（私の夢を見て）」と言ったりもします。みなさんも恋人に使ってみてください。

第 **3** 章

드디어   겨우

ここでは主に［時間］に関する単語を見ていきます。

「早く」は、
일찍と빨리どっち?

Quiz

1
朝早く。
아침 (일찍 / 빨리).

2
早く食べよう。
(일찍 / 빨리) 먹자.

解説

일찍	予定された時間より先に。(⇔늦게 遅く) 例：일찍 출근하셨네요. 早く出勤されましたね。

빨리	かかる時間を短く。急いで。速く。(⇔천천히 ゆっくり) 例：빨리빨리! 早く早く!

Answer

1. 일찍　2. 빨리

例文

생각보다 공항에 일찍 도착했어요.

思ったより早く空港に着きました。

일찍 일어나서 운동하세요.

早く起きて運動してください。

되도록 빨리 답장해 줄래?

なるべく早く返事してくれる?

이 일은 빨리 처리해서 보내 주세요.

この仕事を早く片付けて送ってください。

もっと知りたい!

● 「急いで!」は「빨리해!」や「서둘러!」と言います。

例 늦겠다. 빨리해(서둘러)!!

遅れるよ。早くして!!

練 習

1 子犬がとても速く走ります。

강아지가 아주 (일찍 / 빨리) 달려요.

2 早く落ち着きたいから早く結婚しました。

(빨리 / 일찍) 자리잡고 싶어서 (일찍 / 빨리) 결혼했
어요.

3 韓国語を早くうまくなりたいです。

한국어를 (빨리 / 일찍) 잘하고 싶어요.

「よく / しばしば」は、
자주と자꾸と잘どっち？

Quiz

1 最近よく勉強します。
요즘 (자주 / 자꾸) 공부해요 .

2 [忘れたいのに]最近よく思い出します。
요즘 (자주 / 자꾸) 생각나요 .

解 説

자주	しばしば。度々。 例：자주 만나서 좋다 よく会えてうれしい
자꾸	しきりに。ひっきりなしに。何度も。 ＊迷惑や嫌な気持ち、抑えられない気持ちを伝えられる。 例：자꾸 재채기가 난다 何度もくしゃみが出る 자꾸 보고 싶다 しょっちゅう会いたい
잘	くせや習慣のように「よく」。 ＊「上手に」の意味もあるため文脈で判断する。 例：잘 가는 식당 行きつけの店　잘 잊어버리다 よく忘れる

Answer
1. 자주　2. 자꾸

例文

최근 이 노래를 자주 들어요.
最近、この歌をよく聞きます。

같은 부분을 자꾸 틀려서 속상해요.
同じところを何回も間違えて悔しいです。

그는 지각을 잘 해요.
彼はしょっちゅう遅刻をします。

もっと知りたい!

● 「いつも」は「항상, 언제나, 늘」で表します。 他に「맨날」があり、これは「자꾸」と同様、迷惑や嫌な気持ちを伝えることができます。

例 맨날 지각하다 しょっちゅう遅刻する
맨날 잊어버리다 いつも忘れる

練習

1 電話をよく（度々）かけてくれて、ありがたい。
전화를 (자주 / 자꾸 / 잘) 해 줘서 고맙다.

2 しきりに頼むから、しょうがなく見せました。
(자주 / 자꾸 / 잘) 부탁하니까 할 수 없이 보여 줬어요.

3 子供の頃はよく（すぐ）泣いていたが、成長して変わった。
어릴 때는 (자주 / 자꾸 / 잘) 울었는데 크면서 달라졌다.

4 勉強している途中に何度もスマートフォンを見てしまいます。
공부하다가 (자주 / 자꾸 / 잘) 스마트폰을 보게 돼요.

「もう」は、
벌써と이제どっち？

Quiz

1
もう帰るつもりです。
（벌써 / 이제） 집에 갈 거예요.

2
［お客さんが］もう来て待っています。
（벌써 / 이제） 와서 기다리고 계세요.

解説

벌써	もはや。すでに。思ったより早く。 例：벌써 와 있다 もう来ている　벌써 가? もう帰る? 벌써 가을이다. もう秋だ（あっという間に秋になった）。 ＊未来形には使えない。疑問文なら可能。
이제	①まもなく、じきに。 例：이제 올 거예요. もう来ます。 이제 가을이다. もう秋だ（夏が終わり秋が始まった）。 ②二度と〜。例：이제 안 해요. 二度としません。 ＊「今」の意味の이제はp.222参照。

Answer
1. 이제　2. 벌써

例　文

벌써 네가 이렇게 컸구나.

もう（すでに）あなたはこんなに大きくなったんだね。

저도 이제 어른이에요.

私も、もう大人なんです。

이제 마음 놓고 여행을 갈 수 있어요.

もう安心して旅行に行けます。

もっと知りたい!

● 「이미（もう、すでに）」は完了している場合に使われます。

例　벌써 알아요 / 이미 알아요. もう / すでに知っています。

　　벌써 잘 거예요? もう寝ますか　×이미 잘 거예요?

練　習

①
もう1時間も過ぎたけど、来ていないです。
（벌써 / 이제） 한 시간이나 지났는데 아직 안 왔어요.

②
もう別れましょう。
（벌써 / 이제） 우리 그만 만나요.

③
視力を失って、もう〔二度と〕見られなくなった。
시력을 잃어서 （벌써 / 이제） 못 보게 되었다.

「少し前」は、
조금 전と얼마 전どっち？

少し前からギターを習っているけど、面白い。

1 （조금 전 / 얼마 전）**부터 기타를
배우는데 재미있다.**

解説

조금 전	さっき。「아까」と同じ意味。（＝좀 전） 例：조금 전에 친구와 헤어졌어요. 아직 버스 안일 거예요. さっき友達と別れました。まだバスの中だと思います。
얼마 전	先日。この間。この前。 例：얼마 전에 여자친구와 헤어져서 힘들어요. この前、彼女と別れて辛いです。

1. 얼마 전

조금 전에 여기서 봤는데 어디 갔지?

さっきここで見たけど、どこ行った?

얼마 전에 우연히 그 사람을 만났어요.

少し前に、たまたまその人に会いました。

그가 한국에 간 것을 얼마 전까지 몰랐어요.

彼が韓国に行ったことを少し前まで知らなかったです。

●**具体的な表現を使う場合も多いです。**

例　　몇 시간 전 何時間か前　　며칠 전 何日か前

몇 주 전 何週間か前　　몇 달 전 何カ月か前

食事はしましたか。― はい、さっき軽く食べました。

1　식사는 하셨어요?

― 네, (얼마 전/조금 전)에 간단하게 먹었어요.

2　[何日か前]少し前にメールが来ましたが、元気だそうです。

(얼마 전/조금 전)에 문자가 왔는데, 잘 있대요.

3　[何分か前]少し前に連絡があったけど、少し遅れるそうだ。

(얼마 전/조금 전)에 연락이 있었는데, 조금 늦을

거래.

「後で」の이따가と
나중에と다음에は、どう違う?

1

A: 今日放課後に一緒に勉強しよう。B: いいよ。後で会おう。

A: 오늘 방과 후에 함께 공부하자.
B: 좋아. (이따가 / 다음에) 보자.

2

［旅行中に］A: 景色が美しいね。B: 今度また来たいな。

A: 경치가 아름답네.
B: (이따가 / 다음에) 또 오고 싶다.

解 説

이따가	(この) 後で。＊その日のうちに実現する可能性が高い。例：가방 두고 나올게. 이따가 보자. かばんを置いてくるね。後で会おう。
나중에	しばらく経った後で。そのうち。＊その日ではない、いつになるかは不明。例：잘 가. 나중에 연락할게. じゃあね。また (後で) 連絡するね。
다음에	今度。次の機会。＊いつになるかは不明。例：다음에 또 오세요. 今度また来てください。다음에 식사 한번 해요. 今度お食事でもしましょう。다음에 언제 또 만날 수 있을까. 今度いつまた会えるかな。

Answer 1. 이따가　2. 다음에

例　文

회의 중이니까 이따가 전화 드리겠습니다.

会議中なので後でお電話します。

지금은 말할 수 없으니까 나중에 말할게요.

今は言えないので後で言います。

멋진 카페가 있네. 다음에 가 봐야겠다.

すてきなカフェだな。今度行ってみよう。

もっと知りたい!

● 「이따가」と「있다가(いてから)〔있다 いる ＋다가 ～していて〕」は、発音が似ているので気を付けましょう!

例
집에만 **있다가** 밖에 나오니까 좋다.

ずっと家にいて外に出たからうれしい。

조금만 더 **있다가** 나가자.

もう少ししてから出よう。

練　習

1
まだお腹が空いてないので、後で食べます。

아직 배가 안 고프니까 (이따가/다음에) 먹을게요.

2
今度買ってあげるから、今日は帰ろうよ。

(이따가/다음에) 사 줄 테니까 오늘은 그냥 가자.

3
後で痩せたら着ようと。

(이따가/나중에) 살 빠지면 입어야지.

「やっと」は、
ドドィオと겨우どっち?

Quiz

1

やっと合格! 夢見ていた大学生活のスタートだ!

(드디어 / 겨우) 합격! 꿈꾸던 대학 생활의 시작이다!

2

ギリギリやっと合格しました。

아슬아슬하게 (드디어 / 겨우) 합 격했어요.

解説

드디어	ようやく。ついに。とうとう。＊うれしい気持ちを伝えられる。 例：드디어 끝났다 ついに終わった（終わってうれしい／いい結果で終わった）
겨우	やっとのことで。かろうじて。何とか。 例：겨우 끝났다 やっと終わった（非常に苦労した／ぎりぎり間に合った）

Answer
1. 드디어 2. 겨우

216

例 文

그동안 준비한 가게가 드디어 오늘 오픈이에요.

その間準備していたお店が、ついに今日オープンです。

알바를 2개나 해서 겨우 대학 학비를 마련했어요.

バイトを2つもして、かろうじて大学の学費を用意しました。

하루 종일 기다려서 겨우 만났어요.

一日中待って、何とか会いました。

もっと知りたい！

● 겨우 には「たった」という意味もあります。

例　겨우 한 개밖에 못 사요.
たった1個しか買えません。

練 習

やっと〔とうとう〕暖かくなりました。新しく買った服を着ます。

1 (드디어 / 겨우) 따뜻해졌어요. 새로 산 옷을 입을 거예요.

10回も電話をかけて、やっと〔かろうじて〕通話できました。

2 10번이나 전화를 걸어서 (드디어 / 겨우) 통화할 수 있었어요.

やっと〔ようやく〕桜の花が咲いたので、週末は花見です。

3 (드디어 / 겨우) 벚꽃이 피었으니까 주말에는 꽃구경을 갈 거예요.

「何度も」は、
몇 번도と몇 번이나どっち?

Quiz

1 何度も言ったじゃない。

(**몇 번도** / **몇 번이나**) 말했잖아.

解 説

몇 번도	×この表現はない。 ＊回数が多いことを強調する「何度も」や「何回も」は、ついと몇 번도と言いがちだが、誤りなので注意!
몇 번이나	何回も、何度も。(＝여러 번, 수차례) ＊回数を強調したい時に使う。 例 : 몇 번이나(여러 번, 수차례) 들었어요. 何度も聞きました。

Answer
1. 몇 번이나

서울에는 몇 번이나 가서 익숙해요.

ソウルには何回も行ったので慣れています。

그 드라마는 재미있어서 몇 번이나 봤어요.

あのドラマは面白くて何度も観ました。

몇 번이나 전화했는데 안 받아서 걱정했어요.

何度も電話したのに出ないから心配しました。

もっと知りたい!

●助詞の「も」の意味の「도」と「(이)나」の違い

도는、①何かを付け加える時　②「一度も〜でない」という時に使います。

例　이것도 주세요 これも下さい　한 번도 안 만났다 一度も会ってない

(이)나는、数量や回数の多さを表します。

例　세 개나 먹었다 3つも食べた　열 시간이나 잤다 10時間も寝た

練　習

1　失敗しないように何度も練習しました。
실수하지 않도록 (몇 번도 / 몇 번이나) 연습했어요.

2　私たち、何度も会ったのに覚えていませんか?
우리 (몇 번도 / 몇 번이나) 만났는데, 기억 안 나요?

3　今日は何回も洗濯をした。
오늘은 (몇 번도 / 몇 번이나) 빨래를 했다.

3 音も意味も似ている単語

「방금」「금방」の使い分けは…?

「방금」と「금방」にはどちらも「たった今」という意味がありますが、この2つの使い方に迷ったことはありませんか?

「방금」は「ほんの少し前」という意味で、過去の出来事を示す際に使われます。一方、「금방」は「今にも、あっという間に、すぐ」という意味で、過去だけでなく未来にも使用されます。

例えば、「방금 갔어요 (たった今、行きました)」は「금방 갔어요」とも言えます。しかし「금방 갈게요 (今すぐ行きます)」は「방금」には置き換えられません。このように、「방금」は過去にだけ使うと覚えておくと便利です。

また、「금방」は「すぐ」の意味も持っているので、「그날은 왔다가 금방 갔어요 (その日は来てすぐ帰りました)」「목적지까지 금방이에요 (目的地まですぐです)」のようにも使えます。

방금 習ったことをたくさん使うと、금방 上手になりますよ。

第 **4** 章

名 詞

생일

ここでは ［時間］［日常］［人］［表現］において、
身近な単語を紹介します。

「今」は
지금과이제どっち?

1
今、何していましたか。
(지금 / 이제) 뭐 하고 있었어요?

2
授業が終わったけど、今から何をしましょうか。
**수업이 끝났는데, (지금 / 이제)
뭐 할까요?**

解説

지금	①ただ今。その瞬間の「今」。 例：지금 뭐라고 했어요? 今何と言いましたか。 지금은 못 가요. 今は行けません。 ②現在。（＝현재） 例：지금의 학교 今の学校　지금의 가격 今の値段
이제	①これから。そろそろ。やっと。 例：이제 와서 今さら／今になって 이제 가자. そろそろ行こう。 이제 2개 남았다. やっと2つになった（後少しだ）。 ②もう 例：이제 못 가요. もう行けません。

Answer
1. 지금　2. 이제(지금부터 라면 OK)

지금 바로 와 주세요.
今すぐ来てください。

지금은 취미 생활을 못 하고 있어요.
今は趣味活動ができていません。

지금까지는 연습이었지만 이제부터가 진짜예요.
今までは練習でしたが、これからが本番です。

이제 먹고 있어요.
今やっと食べています。

● 「이제」が「もう」の意味の場合は「벌써(もう、すでに)」と間違いやすいので気を付けましょう。(p. 210参照)

1 今すぐ返信をお送りいたします。
(지금 / 이제) 곧 답장을 보내 드리겠습니다.

2 今になって後悔しても仕方がないです。
(지금 / 이제) 와서 후회해도 어쩔 수 없어요.

3 今の彼女は本当に最高です。
(지금 / 이제)의 여자 친구는 정말 최고입니다.

「最近」は
최근と요즘どっち?

1 | 最近何してる?
(최근 / 요즘) 뭐해?

解 説

최근	過去から今までの比較的短い期間を表す。ニュース、記事、論文などで使うことが多い。 例：최근 묻지마 범죄가 늘어나고 있습니다. 最近、無差別犯罪が増加しています。（＊묻지마 범죄 無差別犯罪、通り魔犯罪）
요즘	現在において。現在を中心に状況や現象を表す。 （= 요새） 例：요즘 날씨가 많이 춥네요. 最近かなり寒いですね。 ＊日常会話では요즘 / 요새をよく使う。

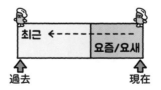

1. 요즘

例 文

최근 물가가 계속 오르고 있습니다.

[ニュース] 最近、物価が上がり続けています。

최근에 해외여행을 다녀왔어요.

[近い期間] 最近海外旅行に行ってきました。

요즘도 필라테스를 하세요?

[現在を中心にした状況] 最近もピラティスをされますか?

もっと知りたい!

●「最近の人々」、「最近の若者」は「요즘 사람들」「요즘 젊은 사람들/젊은
이」と言います。

> 例　요즘 사람들은 건강과 행복에 관심이 많은 것 같아요.
> 最近の人々は健康と幸せに関心が高いようです。
>
> 요즘 젊은 사람들은 아이를 낳지 않는대요.
> 最近の若い人は子供を産まないらしいです。

練 習

[ニュース] 最近犬を飼う人が急増しています。
1 (최근/요즘) 반려견을 키우는 사람들이 급증하고
있습니다.

最近インフルエンザがまた、流行っているそうです。
2 (요즘/최근) 독감이 다시 유행하고 있대요.

最近天気がいいからどこか遊びに行きたいですね。
3 (요즘/최근) 날씨가 좋으니까 어디 놀러 가고 싶네요.

「なか（中）」は、
安と속と중どっち？

1　私たちの中で誰が一番きれいですか?

우리 **(안 / 속 / 중)** 에서 누가 제일
예뻐요?

2　映画の中の主人公

영화 **(안 / 속 / 중)** 주인공

解　説

안	空間の中。 例：건물 안 建物の中　비행기 안 飛行機の中　택시 안 タクシーの中 ＊特にドアがあり、出入りできる場合は必ず「안」を使う。
속	内部が見えないものの中。自然や物語の中。状態や事柄の中。 例：몸속 体の中　안개 속 霧の中　꿈속 夢の中　상황속 状況の中 ＊内部が見えない場合、安と속は両方使えることが多い。 例：가방 안 / 속 かばんの中　상자 안 / 속 箱の中
중	選択できるものの中。いろいろなものの中。 例：둘 중에서 하나를 고르세요. 2つの中から1つを選ん でください。

Answer　1. 중　2. 속

사무실 안으로 들어갑시다.

事務所の中に入りましょう。

만화 속 인물들이 아주 멋져요.

漫画の中の人物 (キャラ) がとてもすてきです。

과목 중에서 영어를 제일 잘합니다.

科目の中で英語が一番よくできます。

● 「안」と「중」には「〜以内」「〜(している)最中」の意味もあります。

例　1시간 안에 가겠습니다.

1時間以内に行きます。

통화 중입니다.

通話中です。

1 今日のメニューの中で苦手なものはありますか。

오늘 메뉴 (안 / 속 / 중)에 못 먹는 음식이 있나요?

2 森の中の小さい家で夏休みを過ごしました。

숲 (안 / 속 / 중) 작은 집에서 여름 방학을 보냈어요.

3 カフェの中で待ちますね。

카페 (안 / 속 / 중)에서 기다릴게요.

「相談」は、
상담と의논どっち?

1 専門家と相談する。
전문가와 (상담 / 의논) 하다.

2 家族たちと相談する。
가족들과 (상담 / 의논) 하다.

解 説

상담	【相談】専門家や精通している人にアドバイスを求めること。(=카운슬링 カウンセリング) 例：피부과에서 상담하다 皮膚科で相談する ＊「相談を受ける」は상담(을) 받다。 연애 상담을 하다 恋愛相談をする
의논	【議論】対等な立場で話し合うこと。(=상의【相議】) 例： 회원들과 의논하다 会員たちと話し合う 가족회의에서 의논하다 家族会議で話し合う 아내와 의논하다 妻と話し合う

＊目上の人と話し合う場合、상의 드리다も使える。
例：부모님께 상의 드리다 両親と相談する

1. 상담 2. 의논

정신과에 가서 고민을 상담했어요.
精神科に行って悩みを相談しました。

그 문제는 변호사와 상담하세요.
その問題は弁護士と相談してください。

바캉스를 어디로 갈지 남편과 의논했다.
バカンスでどこに行くか夫と話し合った。

모두 함께 의논해서 발표회 준비를 했어요.
みんなで話し合って発表会の準備をしました。

1 姉と相談して母へのプレゼントを選んだ。
언니와 (상담 / 의논)해서 엄마 선물을 골랐다.

2 予防接種について医師と相談しました。
예방 접종에 대해 의사와 (상담 / 의논)했습니다.

3 両親と相談して留学を決めました。
부모님과 (상담 / 의논 / 상의)해서 유학을 결정했어
요.

「休み」は
휴가と방학と휴일どっち？

1 会社員：明日から休みです。

　　사원 : 내일부터 (휴가 / 방학) 입니다.

2 学生：明日から（学校の）休みです。

　　학생 : 내일부터 (휴가 / 방학) 입니다.

3 無職：私は毎日休みです。

　　백수 : 저는 매일 (휴일 / 휴가) 입니다.

＊백수【白手】職業に就かず、ぶらぶらしている人。ニートのこと。

解説

휴가	【休暇】休暇。 例 : 유급 휴가 有給休暇　출산 휴가 出産休暇 휴가 나온 군인 休暇に出た軍人
방학	【放学】学生の休み期間。 例 : 봄 방학 春休み　여름 방학 夏休み　겨울 방학 冬休み
휴일	【休日】①休む日。（＝쉬는 날） ②国民の祝日（＝공휴일【公休日】）、カレンダー上の休日。

Answer

1. 휴가　2. 방학　3. 휴일

회사에서 휴가를 받아서 해외여행을 가요.

会社から休暇を取って海外旅行に行きます。

어릴 때는 방학 때마다 친척집에 놀러 갔어요.

幼い時は休みの度に親戚の家に遊びに行きました。

휴일에는 집에서 뒹굴뒹굴하고 있어요.

休日は家でゴロゴロしています。

식당을 찾아갔는데 정기 휴일이었다.

食堂を訪れたけど、定休日だった。

1 入社して初めての休みなので楽しみです。
입사하고 첫 (휴가 / 방학)(이)니까 기대돼요.

2 夏休みの宿題をしました。
여름 (휴일 / 휴가 / 방학) 숙제를 했어요.

3 創立記念日は休みなので学校に行きません。
창립기념일은 (휴일 / 휴가 / 방학)(이)라서 학교에
안 가요.

「予約」の예약と예매は、
どう違う?

Quiz

1　コンサートのチケットを予約する。
콘서트 티켓을 (예매 / 예약)하다.

解説

예약 (하다)	主にレストラン、ホテル、病院などで席やサービスを予め取り決めること。 例 : 상담을 예약하다 相談を予約する 진료를 예약하다 診療を予約する 호텔 방을 예약하다 ホテルの部屋を予約する
예매 (하다)	主に公演、映画、航空券などの前売り券を買うこと。 例 : 기차표를 예매하다 列車の前売り券を買う 관람권을 예매하다 観覧の前売り券を買う 입장권을 예매하다 入場の前売り券を買う

Answer

1. 예매

예약 확인을 부탁드립니다.
予約確認をお願いします。

영화 티켓을 온라인으로 예매했어요.
映画のチケットをオンラインで前売り券を買いました。

티켓 예매는 본인 확인이 필요합니다.
チケットの前売り券は本人確認が必要です。

● 「事前販売」は「사전 판매」、「売り切れ」は「매진되다」、「完売」は「완판되다」と言います。

特別な日なので、週末にレストランを予約をしました。

①　특별한 날이어서 주말에 레스토랑을 (예약 / 예매) 했어요.

前売り券で買ったチケットはキャンセルできません。

②　(예약 / 예매) 하신 티켓은 취소하실 수 없습니다.

会議室を予約しようとスケジュールを確認しました。

③　회의실을 (예약 / 예매) 하려고 일정을 확인했습니다.

「返事」は、
대답と답장どっち？

Quiz

1
連絡したら早く返事して。
연락하면 빨리 (대답해 / 답장해).

2
呼んだら早く返事して。
부르면 빨리 (대답해 / 답장해).

解 説

대답	会話で相手の質問に対する返事。答え。 例：질문에 맞게 대답하세요. 質問に合う答えをしてください。
답장	手紙、メール、問い合わせなど一般的に文書類の返事。 例：답장이 늦어서 죄송합니다. 返信が遅くなり申し訳ありません。 ＊SNS上での会話の中で「今日時間ある？」という質問に「あるよ！」と文字で答える場合にも「답장」と言える。

＊회신【回信】は丁寧な言い方で、主に仕事などで使う。
例：빠른 회신 대단히 감사합니다. 早速のお返事、誠にありがとうございます。

Answer
1. 답장해　2. 대답해

인사를 해도 대답이 없네요.

あいさつをしても返事がないですね。

그의 대답은 정중한 거절이었다.

彼の返事は丁重な断りだった。

답장 주셔서 감사합니다.

お返事いただきありがとうございます。

메일 답장이 없어서 궁금했어.

メールの返信がないから気になってたよ。

● 「生返事をする」は「건성으로 대답하다」と言います。

例 바쁘더라도 건성으로 대답하지 말고 잘 생각하고 대답해!

忙しくても生返事しないで、よく考えて答えてください!

1 ごめん! 忙しくて返信する暇がなかった。
미안! 너무 바빠서 (대답 / 답장) 할 틈이 없었어.

2 子供が手を挙げて「はい!」と元気に返事しました。
아이가 손을 들고 "네!" 하고 힘차게 (대답 / 답장) 했
어요.

3 メールの返事はできるだけ丁寧にすること!
메일 (회신 / 대답) 은 가능한 한 정중하게 할 것!

「退勤」「退社」は、퇴근? 퇴사?

1

［電話］本日は退社しました。

☎：오늘은 (퇴근／퇴사) 하셨습니다.

解説

퇴근	【退勤】1日の仕事を終えて帰宅すること。（⇔출근 出勤） 例：몇 시에 퇴근하세요? 何時に帰りますか?
퇴사	【退社】会社を辞めること。（⇔입사 入社） 例：개인적인 이유로 퇴사하다 個人的な理由で退社する 결혼과 동시에 퇴사하다 結婚と同時に退社する ＊퇴근(退勤)の意味もあるが、誤解を招く恐れがあるので、会社から帰る時には「퇴근」を使うことが多い。

＊退職は「퇴직」。
例：조기 퇴직(早期退職), 정년 퇴직(定年退職)

1. 퇴근

퇴근 후 바로 집으로 돌아갔어요.
仕事を終えてすぐに家に帰りました。

이따가 퇴근하고 한잔할까?
あとで、仕事が終わってから一杯やる?

퇴사한 동료를 오랜만에 만나기로 했어요.
退職した同僚に久しぶりに会うことにしました。

- ●「출근(出勤) / 퇴근(退勤)」は仕事の始まりと終わりの意味として、アイドルやフリーランスなど、幅広い職種で使われます。

  例 언제 퇴근해? 仕事はいつ終わる?

- ●「勤め帰り」は「**퇴근길**」と言います。

  例 퇴근길에 한잔할까요? 帰りに一杯しませんか?

1 退勤して〔仕事が終わって〕すぐに家に帰るの?
(퇴근 / 퇴사)하고 바로 집에 갈 거야?

2 会社の都合で退社することになりました。
회사 사정으로 (퇴근을 / 퇴사를) 하게 되었습니다.

3 昨日は仕事が多くて遅く退社した〔仕事が終わった〕。
어제는 일이 많아서 늦게 (퇴근 / 퇴사)했다.

「具合」は、
状態と形便どっち？

Quiz

1

洗濯機の具合〔調子〕が悪くて洗濯できませんでした。

세탁기 (상태가 / 형편이) 나빠서 빨래 못 했어요.

2

具合(自分の都合)を見て、後で電話します。

(상태 / 형편) 보고 이따가 전화할게요.

解説

상태	【状態】調子。 例：몸 상태 体の調子　건강 상태 健康状態 도로 상태 道路状態　엔진 상태 エンジンの具合
형편	【形便】①都合。（＝상황【状況】） 例：형편을 보다 都合(具合)を見る　형편이 되다 具合 가 いい　도로형편 道の混み具合 ②家計の状態 例：형편이 어려운 가정 暮らし向きが苦しい家庭

Answer

1. 상태　2. 형편

전화 연결 상태가 나빠서 잘 안 들려요.

電話のつながり具合が悪くてよく聞こえません。

손님이 와서 나갈 수 있는 형편이 아니에요.

お客さんが来て出られる状態ではありません。

사원 모두가 회의의 진행 상황을 지켜보고 있어요.

社員のみんなが会議の進み具合を見守っています。

● 体の具合が悪い場合は以下の表現が使えます。

몸이 안 좋다　　　　体の具合が悪く病気の可能性もある

컨디션이 안 좋다　体の調子が優れていない

아프다　　　　　　痛み~病気まで幅広く使える

… 목이 아프다 (喉 / 首が痛い), 배가 아프다 (お腹の調子が悪い)

1　(仕事の進み) 具合が良くなったら会いましょう。

　　(상태가 / 형편이) 좋아지면 만나요.

2　このカメラは直せますか？　—具合を見てから話しましょう。

　　이 카메라를 고칠 수 있나요?

　　— (상태를 / 형편을) 보고 나서 이야기합시다.

3　患者の具合が良いので、明日退院していいです。

　　환자 (상태가 / 형편이) 좋으니까, 내일 퇴원해도 좋습니다.

「参加」は、
참석と참가와참여どっち?

結婚式に参加する。

1 결혼식에
(참석／참가／참여)하다.

市民裁判員として裁判に参加する。

2 국민참여재판에
(참석／참가／참여)하다.

解説

참석	【参席】会議や集まりに出席すること。例：동창회에 참석하다 同窓会に出席する　참석자 명단 出席者名簿
참가	【参加】イベントや大会などに参加すること。例：오디션 참가 신청서 オーディションの参加申込書　참가 번호 エントリーナンバー
참여	【参与】準備の過程から参加し、共に運営すること。例：축제 준비위원으로 참여하다 祭りの準備委員として加わる

＊참석／참가／참여⇔불참【不参】

Answer
1. 참석하다　2. 참여하다

例 文

신년 파티에 부부 동반으로 참석할 거예요.
新年会に夫婦で参加するつもりです。

육상 대회에 참가해서 1등 했어요.
陸上大会に参加して優勝しました。

우리 지역의 이벤트에 참여하기로 했어요.
うちの地域のイベント（作り）に参加することにしました。

もっと知りたい！

● 「출석【出席】」は主に学校の出欠に使います。（⇔결석【欠席】）
＊결혼식에 출석해요とは言いません。

練 習

マラソン大会に参加したが、途中でリタイアしてしまいました。
① 마라톤 대회에 (참석/참가)했지만 도중에 기권하고
말았어요.

今度の映画製作に参加することができて光栄です。
② 이번 영화 제작에 (참가/참여)하게 되어서 영광입
니다.

今日の会食に全員（一人も欠かさず）参加してください。
③ 오늘 회식에 빠짐없이 (참석/참여)해 주세요.

「心」は、
마음と가슴と속どっち？

1 気に入ったのある?
(마음 / 가슴) 에 드는 거 있어?

解 説

마음	感情。考え、意志など。 例：마음이 편하다 心が楽だ 마음이 바쁘다 心忙しい 마음을 정하다 心を決める 마음이 바뀌다 気が変わる 마음에 들다 気に入る
가슴	胸。＊肉体的、心理的。 例：가슴이 뛰다 胸が踊る 가슴이 아프다 胸が痛い 가슴이 뭉클하다 胸が熱くなる
속	①心の中。例：속으로 기뻐하다 心の中で喜ぶ 속으로 생각하다 心の中で考える ②物の内部。例：가방 속 かばんの中 ＊속이 상하다 (속상하다)は「悔しい、つらい」。 「속」の意味はp. 226参照。

Answer

1. 마음

例 文

마음이 바뀌어서 오늘 약속은 취소했어요.

気が変わって、今日の約束はキャンセルしました。

어떤 결과가 나올지 가슴이 두근거려서 못 보겠어.

どんな結果が出るか胸がドキドキして見られない。

나는 네(니) 속을 모르겠어!

私はあなたの心の中(気持ち)が分からない。

もっと知りたい!

● 「속」を「위【胃】」の状態を表す時に使うこともあります。

例 속이 안 좋다 胃の調子が良くない

속이 아프다 胃が痛い

속이 쓰리다 胸焼けする

● 「養子を迎える」を「가슴/마음으로 낳다(胸/心で産む)」と言います。例えば、우리 아이는 가슴으로 낳았어요.(うちの子供は胸で産みました〔養子です〕)と表します。

練 習

1 今日は初めてのデートなので、胸がドキドキします。

오늘은 첫 데이트라서 (마음/가슴)이 설레요.

2 心の中で思うだけで、まだ言ってない。

(속/가슴)으로 생각만 하고 아직 말은 안 했어.

3 友人のアドバイスで心が楽になったようです。

친구의 조언으로 (마음/가슴)이 편해진 것 같아요.

「誕生日」は、
탄생일と생일どっち?

1　今日は私の誕生日だ。
오늘은 내 (탄생일 / 생일)이다.

解説

탄생일	【誕生日】偉大な人物の誕生日。(=탄신일【誕辰日】) ＊一般人には使わない。 例：부처 탄생일 / 석가탄신일【釈迦誕辰日】お釈迦さまの誕生日 예수 탄생일 / 성탄절【聖誕節】イエスさまの誕生日
생일	【生日】(一般の人やペットなどが)生まれた日。(=생일날, 태어난 날) ＊目上の人の誕生日は생신【生辰】。 例：할아버지 생신 祖父の誕生日 친구 생일 友達の誕生日　강아지 생일 子犬の誕生日

1. 생일

친구의 생일 파티에 초대 받았어요.
友達の誕生日パーティーに招待されました。

한국에서는 생일에 미역국을 먹어요.
韓国では誕生日にわかめスープを飲みます。

곧 할머니의 80세 생신이에요.
もうすぐおばあちゃんの80歳の誕生日です。

세종대왕의 탄생일은 5월 15일이에요.
世宗大王の誕生日は5月15日です。

● 「お誕生日おめでとうございます」は「생일 축하합니다」、ため口では「생일 축하해」、目上の人には「생신 축하드립니다」を使います。

1 悠馬、誕生日プレゼントは何をもらいたい?
유마야. (탄생일 / 생일) 선물은 뭐 받고 싶어?

2 先生の誕生日にお花を差し上げました。
선생님 (탄생일 / 생신) 때 꽃을 드렸어요.

3 誕生日ケーキのろうそくを消しました。
(탄생일 / 생일) 케이크의 촛불을 껐어요.

「みなさん / みんな」は、
여러분だけではない?

Quiz

1
［日記］みんなが知っていた。
(모두가 / 여러분이) 알고 있었다.

2
みなさんも一緒に行きましょう。
(모두 / 여러분) 도 같이 갑시다.

解 説

여러분	「みんな」の尊敬語で対象が目の前にいる場合。自分を含めない。＊対面や手紙の場面で使う。 例：여러분! 여러분의 의견을 들려 주세요. みなさん！ みなさんの意見を聞かせてください。
모든 분	全ての方。＊모든（全ての）＋분（方） 例：참가한 모든 분께 선물을 드립니다. ［説明文］参加したみなさんにプレゼントを差し上げます。
모두	①すべて、全部で。 例：모두 얼마예요? 全部でいくらですか。 ②全員。みんな。＊～ 모두の形でよく用いる。例：가족모두 家族みんな　우리 모두 私たちみんな

Answer
1. 모두가　2. 여러분

例　文

여러분의 사랑과 관심에 항상 감사드립니다.

[受賞挨拶] みなさんの愛と関心にいつも感謝しています。

모든 분들의 건강을 빕니다.

すべての方々の健康を祈ります。

모두가 찬성했어요.

みんなが賛成しました。

もっと知りたい!

● 「みんなで」「家族で」「〜人で」も間違いやすいので気を付けましょう。

> 例　みんなで行きましょう。**모두 같이 가요**.
>
> 家族でキャンプに行きます。**가족끼리 / 가족들하고 캠핑을 가요**.
>
> 3人で見ました。**셋이(서) 봤어요**.(혼자서 / 둘이서 / 셋이서…)

練　習

① クラスのみんなのために頑張るつもりだ。
반 친구 (여러분을 / 모두를) 위해 최선을 다하겠다.

② [司会者] みなさんが全員集まりましたので、ただ今始めさせていただきます。
(여러분 / 모든 분 / 모두)께서 다 모이셨으니까, 이제 시작하겠습니다.

③ [案内文] 参加するみなさんは10時までに集まってください。
참가하시는 (여러분 / 모든 분)께서는 10시까지 모여 주세요.

「家族」は、
가족と식구どっち?

うちは4人家族です。

1 　우리집은 네 (가족 / 식구) 입니다.

家族会議があります。

2 　(가족 / 식구) 회의가 있어요.

解説

가족	【家族】主に「集団」の意味での「家族」。 ＊血縁関係がある場合。 例：4인 가족 4人家族（＝네 식구） 가족 모임 家族の集まり 가족 여행 家族旅行 가족 / 가족들이 보고 싶다 家族に会いたい ＊이 / 가 보고 싶다 助詞に注意。
식구	【食口】(가족とほぼ同じだが)構成員一人一人を指しての「家族」。＊非血縁関係でもOK。 ＊基本の意味は、同じ家で暮らして食事を共にする者。 例：식구가 많은 집 家族の多い家 식구들이 보고 싶다 家族(たち)に会いたい

Answer

1. 식구(네 가족：4つの家族のグループ)　2. 가족

연말에 가족끼리 모였어요. (식구○)

年末に家族で集まりました。

가족처럼 대해 주셔서 감사합니다. (식구○)

家族のように接していただきありがとうございます。

추석에 작업실 식구들에게 과일을 선물했어요.

秋夕（チュソク）に作業場の仲間たちに果物を贈りました。

● 「식구」は他の名詞と一緒に使うことが多いです。

例
집안 식구 家族　　　　　　　친정 식구 (既婚女性の自身の)実家の家族
시댁 식구 (夫の)実家の家族　회사 식구 会社の仲間

① [シェアハウス]大きな家に3つの家族が一緒に暮らしています。
큰 집에 세 (가족이 / 식구가) 함께 살고 있어요.

② 会社仲間の何人かを招待しました。
회사 (가족들 / 식구들) 몇 명을 초대했어요.

③ 最近、家族旅行に行ってきました。
최근에 (가족 / 식구) 여행을 다녀왔어요.

「日本中」と「冬中」の「中」は、전체？ 내내？

1	日本中が盛り上がりました。 **일본 (전체 / 내내) 가 열광했어요 .**
2	冬中、家にいました。 **겨울 (전체 / 내내) 집에 있었어요 .**

解 説

전체	全て。全部。＊「場所＋中」の場合。 ＊全、온、全体：전 (全) ＋【漢字】、온 ～、～ 전체 (全体) → 国中：전국 (全国) ／온 나라／나라 전체 例：전 세계 全世界　전교 全校　마을 전체 村全体 온몸 全身　온 세상 世の中／全世界
내내	終始。ずっと。＊「時間 (期間) ＋中」の場合。 例：일년 내내 一年中　여름 방학 내내 夏休み中 휴가 내내 休暇中　일하는 내내 仕事中 ＊ただし、「一日中」は「하루종일」(＝온종일)。

＊중【中】を使った「場所 (範囲) ＋中」は「なか」の意味。(p. 226参照)
例：나라 중에 제일 작은 나라는? 国の中で一番小さい国は?

1. 전체　2. 내내

집안 전체에서 달콤한 냄새가 나요.

家中、甘い香りがします。

온 동네 사람들이 그를 알아요.

町中の人が彼を知っています。

기분이 좋아서 집에 오는 내내 노래를 불렀어요.

うれしくて家に帰る間ずっと歌いました。

● 「時間＋中」は중を使う表現もあるので、意味の違いに注意しましょう。

例　수업 중에 전화벨이 울렸다. 授業中に電話が鳴った.

수업 내내 잤다. 授業中ずっと寝ていた.

① 疲れ過ぎて、会議中眠かったです。

너무 피곤해서 (회의 중에 / 회의 내내) 졸렸어요.

② この問題は世界中が一緒に努力すべきです。

이 문제는 (전 세계가 / 세계 중이) 함께 노력해야 합
니다.

③ 事故のニュースで都市中がパニックに陥った。

사고 소식으로 도시 (전체가 / 중이) 충격에 빠졌다.

「感想」は、
감상と소감どっち?

Quiz

1

感想を一言お願いします。

(감상 / 소감) 한 말씀 부탁드립니다.

解説

감상	【感想】あることを見たり聞いたりして、心の中で感じることや思うこと。 例：감상을 쓰다 感想を書く 감상을 말하다 感想を話す ＊「感想文」は감상문。「感傷にふける／おぼれる」は감상에 빠지다。 ＊同音異義語で「鑑賞」の意味もある。감상(을) 하다で「鑑賞をする」。
소감	【所感】個人の経験について短く感じたことを表す。 例：수상 소감 受賞の感想　입사 소감 入社の感想

Answer

1. 소감

여행을 다녀온 감상과 사진을 SNS에 올렸다. (소감 ○)

旅行に行って来た感想と写真をSNSにアップした。

한 해를 보내는 소감이 어떠세요?

1年を過ごした感想はいかがですか。

감독상을 수상하신 소감을 부탁드립니다.

監督賞を受賞された感想をお願いします。

● 映画や本、旅行の後の「レビュー」は「後記」と言います。

例 영화 〈기생충〉 후기 봤어?
映画〈パラサイト〉のレビュー見た?

彼は久しぶりに帰国した感想を涙で代えた。

1 그는 오랜만에 귀국한 (감상 / 소감)을 눈물로 대신했다.

彼女は社長になった感想を語った。

2 그녀는 사장 자리에 오른 (감상 / 소감)을 밝혔다.

映画を見て感じた感想を文で残した。

3 영화를 보고 느낀 (감상 / 소감)을 글로 남겼다.

「など」の等と따위は、
どう違う?

ドーナツやあんぱんなどを売っています。

1 **도너츠나 팥빵 (등을 / 따위를) 팔아요.**

うちの店は不良品などは売っていません。

2 **우리 가게는 불량품 (등은 / 따위는) 안 팔아요.**

解説

등	【等】など。～ら(の)。 例：냉장고 , 전기밥솥 등의 가전 제품 冷蔵庫、炊飯器などの家電製品 미용실에 가고 새옷을 사는 등 준비가 바쁘다 . 美容院に行く、新しい服を買うなど準備が忙しい。
따위	など。なんか。＊価値を低めて言う時。 例：돈 따위는 필요없다 金などはいらない 너 따위에게 내 딸을 줄 수 없다 . あなたなんかに娘はやらない。

Answer

1. 등을 / 따위를(등을의 방이 더 자연) 2. 따위는

例 文

사진, 풍선, 리본 등으로 벽을 꾸몄어요.

写真、風船、リボンなどで壁を飾りました。

물을 쏟고 젓가락을 떨어뜨리는 등 불안해 보였다.

水をこぼして箸を落とすなど不安そうだった。

읽지도 않는 잡지, 만화 따위는 이제 버려라.

読みもしない雑誌や漫画などは、もう捨てなさい。

もっと知りたい!

● 「등등」は 「などなど」と言う場合によく使います。

例 우동, 초밥 등등
うどん、すし、などなど

練 習

1
あなたなどは知る必要がない。
너 (등은/따위는) 알 필요가 없다.

2
Kビューティー、Kフードなど韓流の人気が続いている。
K-뷰티, K-푸드 (등/따위) 한류의 인기가 계속되고 있다.

3
この仕事は本で学んだ知識などは役に立たないです。
이 일은 책으로 배운 지식 (등은/따위는) 도움이 안돼요.

「何」の뭐と무슨と어떤は、どう違う?

1 何をそんなに真剣に考えていますか?

(뭐 / 무슨 / 어떤) 생각을 그렇게
열심히 해요?

解説

뭐 (무엇)	一般的な意味の「何」。 ＊単独で用いる。 例：이게 뭐예요? これは何ですか?
무슨	何の。どんな。 ＊特定の物や状況に関する質問に使う。 例：무슨 책 何の本　무슨 일 何のこと　무슨 날 何の日 무슨 요일 何曜日
어떤	どんな。どの。 ＊候補から選択する質問に使う。 例：어떤 것 どんな物　어떤 곳 どんなところ 이 중에서 어떤 책이 좋아? この中でどんな本が好き?

1. 무슨

영화는 뭐(무엇을) 봤어요?

映画は何を見ましたか。

무슨 영화를 봤어요?

何の映画を見ましたか。

이 중에서 어떤 영화가 보고 싶어요?

この中でどんな映画が見たいですか。

もっと知りたい!

● **어느**　どの（位置、方向など）

例　어느 대학교 학생이에요?
　　どこの大学の学生ですか?

● **몇**　何、いくつ（答えが数字の時）

例　몇 개 있어요?
　　何個ありますか?

　　＊何日 : 며칠 ○ 몇 일 ×

練　習

① 何か方法がないでしょうか。
　（뭐 / 무슨 / 어떤）방법이 없을까요?

② 何色が好きですか?
　（뭐 / 무슨 / 어떤）색깔 좋아해요?

③ 2つの中で何が好きですか?
　둘 중에서（뭐 / 무슨 / 어떤）게 마음에 들어요?

「意味」の의미と뜻は、
どう違う？

Quiz

1 今回のことは意味（価値）がない。

이번 일은 (의미 / 뜻) 없다.

解説

의미	①一般的な意味の「内容、意味」。 例：단어의 의미 単語の意味 ②価値。 例：의미가 있다 意味／価値がある　의미 있는 시간 価値のある時間　큰 의미 大きな意味
뜻	①意思。意志。 例：뜻이 맞는 친구 意思が通じ合う友達　큰 뜻 大志 뜻이 있다 意志がある　뜻을 가지다 意志を持つ ②一般的な意味の「内容、意味」。 例：단어의 뜻 単語の意味　뜻깊은 만남 意味深い出会い

Answer

1. 의미

그 단어는 3가지 의미를 가지고 있어요. (뜻○)

その単語は3つの意味を持っています。

제가 사과의 뜻으로 밥을 살게요. (의미○)

私が謝罪の意味でおごります。

뜻이 있는 곳에 길이 있다.

[ことわざ] 意志があるところに道がある（為せば成る）。

- 「どういう意味ですか?」は、「어떤 의미예요?」の他に、「무슨 뜻이에요?/무슨 말이에요?/무슨 소리예요?」などと言えます。
- 「いくら言ってもダメだ（意味ない）」は「아무리 말해도 소용없다」です。

1
この公演は歴史的な意味〔価値〕があります。
이 공연은 역사적인 (의미가 / 뜻이) 있습니다.

2
彼は意味のない行動はしません。
그는 (의미 / 뜻) 없는 행동은 하지 않아요.

3
意思が通じる友達ができた。
(의미가 / 뜻이) 맞는 친구가 생겼다.

第1章　形容詞

001　1. 반가운　2. 기뻐요　3. 기쁜
002　1. 편해요　2. 편리하네요
003　1. 신나서　2. 즐거운
004　1. 하찮은　2. 재미없었어요
　　　3. 하찮은
005　1. 무서워요　2. 두렵기도(무섭기도 でもOK)　3. 무서워
006　1. 너무하네　2. 심할
　　　3. 심해서
007　1. 창피했다　2. 부끄러워서
008　1. 혼란스러워요　2. 헷갈려요
　　　3. 헷갈리는
009　1. 아쉬워요　2. 아쉽다
　　　3. 서운했어요　4. 안타깝게도
010　1. 외로워도　2. 쓸쓸하지
　　　3. 쓸쓸한
011　1. 분해서　2. 속상해요
　　　3. 억울합니다
012　1. 좋았어요　2. 잘됐네요
　　　3. 다행이다
013　1. 싫어요　2. 서툴지만
　　　3. 싫어요
014　1. 늦게　2. 늦었으니까
　　　3. 느려요
015　1. 깨끗하게　2. 예뻤어요
016　1. 낫다(좋다でもOK)
　　　2. 좋네요　3. 좋아요
017　1. 더러워서　2. 지저분한데
018　1. 오래된　2. 낡아서

　　　3. 오래될수록
019　1. 높은　2. 비싼　3. 높아서
020　1. 세지　2. 강한　3. 강하다
021　1. 밝기　2. 밝습니다(전망이 환하다とは言わない)　3. 환하게
022　1. 시끄럽게　2. 시끄러워서　3. 정신없었어요(落ち着かなかった)
023　1. 바쁜　2. 정신없었어요
　　　3. 정신없네요　4. 정신없어요
024　1. 틀렸어　2. 다른　3. 다르다
025　1. 중요한　2. 소중하게
　　　3. 중요한
026　1. 북적거려요　2. 활기차다
　　　3. 활기찬　4. 번화한
027　1. 노란　2. 누러네요　3. 노란
028　1. 맞는　2. 바르게　3. 옳았다
029　1. 싸게 / 저렴하게(両方OK)
　　　2. 저렴한　3. 싸요 / 저렴해요
　　　(両方OK)
030　1. 질기네요　2. 딱딱해서
　　　3. 딱딱한
031　1. 진하고　2. 짙은
　　　3. 짙게(진하게でもOK)
032　1. 자상하고　2. 상냥하고
　　　3. 친절하게
033　1. 부드럽게　2. 착한　3. 좋은
034　1. 어려요　2. 젊을　3. 어려요
035　1. 비슷해요　2. 닮아서　3. 닮았어요(비슷해요でもOK。家族なので닮았어요が一般的)

036 1. 어른답게 3. 어른스러워

第2章 動詞

037 1. 화를 내지 2. 화가 났어
3. 화를 내고
038 1. 견딘 2. 참지 3. 버텼어요
039 1. 관심 있는 2. 궁금해요
3. 신경 쓰여서
040 1. 걸렸다 2. 들어요 3. 들지
041 1. 서두르세요 2. 급할
3. 서두르지
042 1. 깨물었어요 2. 물고
3. 씹으면서
043 1. 상한 2. 썩지 3. 상하기
044 1. 마실 2. 먹고 3. 삼켜
045 1. 잘라 2. 썰어서 3. 끊은 지
046 1. 벗기고 2. 깎아서
3. 까다가
047 1. 따라 2. 부었다
3. 쏟아졌어요
048 1. 섞어서 2. 비벼 3. 젓다가
049 1. 끓이세요 2. 삶은 3. 삶는
050 1. 달리는 2. 뛰어다녀요
3. 달리기
051 1. 누르면 2. 밀면 3. 눌러
052 1. 보내 2. 보냈는데 3. 부치
기 / 보내기(両方OK)
053 1. 달았어요 2. 붙여
3. 붙이면
054 1. 뽑아 2. 뽑았어요 3. 빼고
055 1. 살을 빼려고 2. 살이 빠진다
3. 살을 빼는
056 1. 뽑았다 2. 골라서 3. 골랐
어요 4. 골라
057 1. 만져 2. 손대는(- 에 손대다)
3. 건드리지

058 1. 치는 2. 때렸어
3. 두드리는
059 1. 쓰러졌어요 2. 넘어질
3. 무너졌대요
060 1. 발라서 2. 칠할까
3. 발랐어요
061 1. 떨어졌어요. 2. 떨어진
3. 빠졌습니다
062 1. 바꿔 2. 교환해
3. 갈았어요
063 1. 태우고 2. 실어 3. 태우고
064 1. 도망친 2. 피할 3. 도망치고
065 1. 보고 2. 바라보세요
3. 쳐다봐요
066 1. 키우셨군요(기르셨군요도
OK) 2. 키우는 3. 길러
067 1. 적었어요 2. 그린
3. 써야 해요
068 1. 열어 2. 엽니다 3. 내서
069 1. 닫아요 2. 닫고, 잠갔어요
3. 잠그지
070 1. 나면 2. 나오는데, 나가요
071 1. 누워서 2. 자고 있어
3. 누워서
072 1. 일으켜 2. 깨웠어요
3. 깨우지
073 1. 꺼 2. 지울 3. 끕니다
074 1. 씻어라 2. 씻어 3. 빠는데
075 1. 말해 2. 이야기하세요
3. 수다 떠느라고
076 1. 놓아 2. 놓아야 3. 두세요
4. 두고
077 1. 꺼내서 2. 내야 3. 꺼내
078 1. 돌려주세요 2. 갚을게요
3. 돌려주지
079 1. 주워 2. 잡아 3. 집어서

索引

韓国語

本書の「テーマ」と「もっと知りたい！」にて取り上げている単語・表現です。

＊「テーマ」の語が別ページの「もっと知りたい！」で取り上げられている場合は（）で表しています。

日本語

本書の「テーマ」と「もっと知りたい！」にて取り上げている単語・表現です。

チェ・スジン　崔洙鎮
韓国ソウル生まれ。崇實大学大学院修了（社会福祉学修士）。2011年からコリ文語学堂講師。市民講座や学校で韓国語を教える。元神奈川県立清陵高校非常勤講師。韓国の歴史を教えることが好きである。

ホ・ユンギョン　許允卿
韓国ソウル生まれ。延世大学卒業。2003年からコリ文語学堂講師。東海大学生涯学習講座、外語ビジネス専門学校元講師。横浜市立高校非常勤講師。

ソク・ジア　石智雅
韓国ソウル生まれ。梨花女子大学卒業。2013年からコリ文語学堂講師。元日本外国語専門学校非常勤講師。駿台外語＆ビジネス専門学校、東京韓国教育院、高校などでも教えている。

キム・スノク　金順玉
コリ文語学堂代表。
フェリス女学院大学、武蔵大学、清泉女子大学講師。NHKラジオ「まいにちハングル講座」、NHK Eテレ「テレビでハングル講座」元講師。

コリ文語学堂教材開発チーム
コリ文語学堂の講師陣の中から有志が集まって、教授法・学習法について意見を出し合いながら教材開発に取り組んでいる。

クイズでわかる
韓国語単語の使い分け

2024年5月5日 初版発行

著者	チェ・スジン／ホ・ユンギョン／ソク・ジア
	©Sujin Choi, Yunkyung Huh, Jia Suk, 2024
監修	キム・スノク
発行者	伊藤秀樹
発行所	**株式会社 ジャパンタイムズ出版**
	〒102-0082　東京都千代田区一番町2-2　一番町第二TGビル2F
	ウェブサイト　https://jtpublishing.co.jp/
印刷所	**株式会社光邦**

本書の内容に関するお問い合わせは、上記ウェブサイトまたは郵便でお受けいたします。
定価はカバーに表示してあります。
万一、乱丁落丁のある場合は、送料当社負担でお取り替えいたします。
（株）ジャパンタイムズ出版・出版営業部あてにお送りください。

Printed in Japan　ISBN 978-4-7890-1875-3

本書のご感想をお寄せください。
https://jtpublishing.co.jp/contact/comment/